Ischer, Rudolf

Medea : Vergleichung der Dramen von Euripides bis zu Grillparzer

Ischer, Rudolf

Medea : Vergleichung der Dramen von Euripides bis zu Grillparzer

Inktank publishing, 2018

www.inktank-publishing.com

ISBN/EAN: 9783750126718

MEDEA

VERGLEICHUNG DER DRAMEN

von

EURIPIDES BIS ZU GRILLPARZER

von

Dr. RUDOLF ISCHER

(Beilage zum Jahresbericht des städtischen Gymnasiums in Bern, 1900.)

Bern.
Buchdruckerei Stämpfli & Cie.
1900.

Es giebt Probleme, deren Lösung, wenn sie einmal von einem Dichter versucht worden ist, immer wieder zu neuer Bearbeitung gereizt hat. Dahin gehört Faust, dahin das Motiv von den feindlichen Brüdern, sowie dasjenige der Virginien-Dramen. Lautet in den zuletzt genannten die Frage: Wie kann ein Vater dazu gebracht werden, die eigene Tochter zu töten, so enthält die Geschichte der Medea das psychologische Problem: *Wie wird der Mord, den eine Mutter an ihren Kindern vollzieht, begreiflich!*

Das Motiv der Medea lässt sich auch in weiterem Sinne fassen als das Verhältnis eines Mannes zu zwei Frauen, einer dämonisch gewaltigen und einer gutherzig unbedeutenden[1]. Die Zahl der Bearbeitungen, die dann in Betracht kommen, ist unendlich. Von dieser weiteren Fassung möchte ich absehen und das Motiv im engeren Sinne nehmen, wobei der Kindermord durch die Mutter aus Rache am Gatten den Mittelpunkt bildet. Es kann nun Darstellungen geben, die in eine andere Zeit und an einen andern Ort verlegt werden und das Motiv doch enthalten. Dahin gehört beispielsweise „Miss Sarah Sampson", wenn auch der Kindermord bloss gedroht, nicht vollzogen wird. Abgesehen von diesem Stücke, das nachweisbar die Medeen-Dramen beeinflusst hat, sind mir aber derartige Behandlungen des Stoffes nicht bekannt, und es handelt sich daher hier nur um das Motiv, wie es in der Geschichte der Medea zum Ausdruck gelangt. Eine weitere Beschränkung des Gebietes erzielen wir dadurch, dass wir nur das Drama in Betracht ziehen, von allen epischen Behandlungen dagegen absehen.

Die ursprüngliche Sage erzählt folgendes: Medea kam mit Jason nach Korinth, nachdem sie in Jolkos die Töchter des Pelias veranlasst hatte, den Vater zu töten, damit er verjüngt werden könne. In Korinth brachte Medea den König Kreon durch Zaubermittel um, aus Rache dafür, dass Kreon seine Tochter Jason zum Weibe gegeben. Sie floh dann nach Athen aus Furcht vor den Verwandten Kreons, während sie ihre Kinder am Altar der Hera in Korinth zurückliess. Die Korinthier töteten die Kinder Medeas, um sich für Kreons Tod zu rächen.

[1]) So hat Singer in seinem geistvollen akademischen Vortrag «Übersicht über die dramatischen Behandlungen des Medea-Motivs», Winter 1894, das Motiv gefasst. Herr Prof. Dr. Singer hat mir das Manuskript gütigst zur Einsicht überlassen, wofür ich ihm auch an dieser Stelle meinen Dank ausspreche.

Der tragische Konflikt ist also in dieser ursprünglichen Sage nicht enthalten. Euripides, der erste geniale Bearbeiter des Stoffes, hat die Sage für seinen Zweck umgestaltet und Medea zur Mörderin ihrer Kinder gemacht. Er ist also der Schöpfer der Geschichte Medeas, so wie sie uns vorliegt. Ehe wir aber auf sein Stück näher eintreten, mag ein chronologischer Überblick der wichtigsten Dramen, die von Medea handeln, am Platze sein.

Unter den Griechen haben ausser Euripides, dessen Medea 431 aufgeführt wurde, denselben Stoff behandelt: Neophron, ein Zeitgenosse des Sophokles, Euripides der Jüngere, ein Neffe des Dichters, und Karkinos. Von diesen Stücken haben wir aber nur unbedeutende Fragmente, welche bei Suidas, dem bekannten Polyhistor des zehnten Jahrhunderts, zu finden sind. Aus der griechischen Litteratur ist also nur das Stück des *Euripides* erhalten[1].

Ähnlich verhält es sich mit den „Medeen" der römischen Litteratur. Von den Stücken des Ennius (239—204, seine Medea war bloss Übersetzung des Euripides), des Ovidius (43 vor bis 18 nach Chr.), des Pompejus Macer, eines Freundes Ovids (Fragmente bei Stobaeus), des Curiatius Maternus (cirka 80 nach Chr.), des Lucanus (39—65) und des Hosidius Geta (Ende des zweiten Jahrhunderts), der nach Tertullian auch eine „Medea" geschrieben hat, sind nur Bruchstücke vorhanden, abgesehen von einem cento, einem Flickstück aus Vergil-Versen im Parisercodex 10,318. Das einzige Stück, das hier in Betracht kommt, ist die „Medea" des *Seneca* (4 vor bis 65 nach Chr.).

In Frankreich wurde der Stoff zuerst aufgegriffen von *Corneille* (1606—1684), dann von *Longepierre* (1659—1721). Nur teilweise gehört hierher der „Jason" des J. B. *Rousseau* (1670—1741). Der letzte, mir bekannte Verfasser einer „Medea" in Frankreich ist Legouvé, dessen Stück 1854 erschien. Ausserdem mag es noch andere Bearbeitungen, namentlich in Opern, gegeben haben, die für unsere Darstellung

[1] Es ist eine alte Streitfrage, hervorgerufen durch die Stelle der ersten Hypothesis: *τὸ δρᾶμα δοκεῖ ὑποβαλέσθαι παρὰ Νεόφρονος διασκευάσας*, ob nicht Neophron für den Erfinder des Kindermordes zu halten sei. Dieser Meinung war Ludwig Schiller in seinem Programm « Medea im Drama alter und neuer Zeit » (Ansbach 1865, 26 S.), gestützt auf die Nachrichten bei Suidas und Diogenes von Laerte. Dagegen sucht Wecklein, welchem Aristoteles und Dikaearch immerhin wichtig genug sind, da sie ja die didaskalischen Aufzeichnungen kennen mussten, einen Ausweg durch Annahme einer doppelten Recension der Medea des Euripides, so dass Neophrons Stück in die Mitte zwischen beide Recensionen fiele (N. Wecklein: Ausgewählte Tragödien des Euripides, Medea, Leipzig 1880, p. 28 der Einleitung). Diese Annahme weist von Wilamowitz-Möllendorf in seinen « Exkursen zu Euripides Medeia » (Hermes XV, p. 488), als « einen thörichten, modernen Einfall » zurück, da « bekanntlich überhaupt von gar keiner zweiten Bearbeitung irgend eines euripideischen Stückes die Rede sein » könne. v. Wilamowitz nennt die Urheberschaft Neophrons eine « böswillige, tendenziöse peloponnesische Fälschung », um Athen den Ruhm der Erfindung zu rauben. Hans von Arnim hat sodann in seiner Ausgabe der Medea (Berlin 1886) noch im einzelnen nachgewiesen, dass die Fragmente des Neophron nicht *vor* Euripides abgefasst sein können. So dürfen wir die Frage als erledigt betrachten, um so mehr, weil Aristoteles (im 14. Kapitel der Dichtkunst nur Euripides für das Motiv des Kindermordes nennt. — Was die griechischen « Medeen » betrifft, so ist der Umstand, dass auch mehrere Komödien unter diesem Titel existiert haben, für unsere Betrachtung belanglos. Vgl. L. Schiller, a. a. O. p. [illegible].

füglich übergangen werden können, da absolute Vollständigkeit nicht erstrebt ist und schon unter den genannten Stücken sich Mittelmässiges genug findet.

Von englischen Bearbeitern ist mir nur Glover (1712—1785), von italienischen Lodovico Dolce (1508—1568) und Giovanni Battista Niccolini (1782—1861) bekannt. Die drei Stücke waren mir nicht zugänglich. Dasjenige des Dolce soll eine Übersetzung Senecas sein (vgl. Gaspary, Geschichte der italienischen Litteratur II, Berlin 1888, S. 563 f.); dasjenige Niccolinis soll zu den schwächern Stücken des Dichters gehören. Von spanischen Bearbeitungen ist mir nichts bekannt geworden.

Unter den deutschen Dichtern schrieben „Medeen" *Gotter* (1775), *Klinger* (1786), *Soden* (1814) und endlich *Grillparzer*, dessen „Goldenes Vliess" (1818—1820) die Reihe schliesst. Zwischen Klinger und Soden ist einzuschalten das Textbuch zu Cherubinis „Medea", 1797 französisch von N. E. Framery abgefasst, deutsch bearbeitet von Herklots.

Die Betrachtung soll nun an Hand der Analyse die Ähnlichkeiten und Verschiedenheiten der einzelnen Stücke und die Entwicklung des Motivs zeigen. Die Grundlage bildet das Stück des Euripides.

Euripides.

Vor Medeas Haus in Korinth tritt ihre Amme auf und verwünscht den Argonautenzug und jene ganze Kette von Ereignissen, welche ihre Herrin nach Griechenland geführt, zur Ermordung des Pelias in Jolkos bewogen und nun als Flüchtige nach Korinth gebracht haben. Jason, so erfahren wir von ihr, hat sich mit der Tochter Kreons, des Königs von Korinth, vermählt und so seine rechtmässige Gattin Medea verstossen, welche unglücklich über Jasons Untreue, ohne Speise und Trank, in dumpfem Brüten ihre Entfernung aus der Heimat bereut, die eignen Kinder nur mit Abneigung und Widerwillen sieht und auf etwas Gefährliches zu sinnen scheint. Nun bringt der Pädagog Medeas Kinder herbei, und die Amme klagt ihm über das Unglück der Herrin: denn treue Diener lassen sich der Herrschaft Geschick zu Herzen gehen. Der Pädagog weiss nur neues Unheil, und als ihn die Amme mit Fragen bestürmt, da erzählt er, Kreon habe beschlossen, Medea mit den Kindern aus dem Lande zu verbannen. Die Amme kann sich nicht denken, dass Jason das zugeben werde, wenigstens was die Kinder betreffe, aber der Pädagog erinnert sie daran, wie leicht man über neuer Verwandtschaft die alte vergesse, und ermahnt sie zur Verschwiegenheit. Bei der Amme kommt wieder die Angst für die Kinder zum Ausdruck. Sie bittet den Pädagogen, er möge doch ja die Kinder vor der Mutter schützen. So wird hier schon die Katastrophe angedeutet. Wir ahnen nun, dass das Grässliche, worauf Medea sinnt, sich auf die Kinder bezieht.

Man hört Medeas klagende Stimme aus dem Hause. Die Amme treibt die Kinder ins Haus, warnt sie aber vor der Mutter. Medea, die der Knaben ansichtig wird, verwünscht sie und sich selbst, während die Amme auf der Bühne die Kinder beklagt, die ja unschuldig sind am Vergehen des Vaters. Daran knüpft sie Betrachtungen über die Gefahr, wenn Könige zürnen, und über die weit grössere Sicherheit in mässigen Verhältnissen, im Mittelstande, entsprechend der Vorliebe des Dichters für derartige Erörterungen.

Da kommt der Chor, der aus korinthischen Frauen besteht, und erkundigt sich nach dem Grunde des Wehklagens. Die Amme erklärt den Frauen das Unheil. Medea (im Hause) verwünscht ihr eigenes Dasein, während der Chor (auf der Bühne) sie zur Ruhe und Fassung ermahnt. Von neuem hört man Medea im Hause wüten, ihrem Gatten und seiner neuen Gemahlin den Tod wünschen und die Entfernung aus ihrem Vaterlande beklagen. Der Chor bittet die Amme, Medea herauszurufen, ehe im Hause ein Unglück geschehe. Zureden werde sie vielleicht beruhigen. Die Amme erklärt sich bereit dazu, giebt aber auch ihrer Furcht vor Medea Ausdruck. Sie (oder vielmehr wieder der Dichter, der seine Erörterung anbringen will) knüpft daran eine Betrachtung darüber, dass Musik und Gesang besser passe zur Besänftigung im Unglück als zur Ergötzung bei fröhlichen Gelagen.

Medea tritt auf. Der Dichter hat durch die Erzählung der Amme und die masslosen Klagen, die wir aus dem Hause schallen hören, uns auf ihr Kommen vorbereitet, und wir erwarten, sie ebenso leidenschaftlich erscheinen zu sehen. Aber ihr Betragen ist ruhig und gemessen, und wir wissen sofort: das ist kein gewöhnliches Weib, das ist eine Frau, die den Sturm der Leidenschaft in ihrem Innern beherrscht durch einen starken Willen. Sie kommt, um nicht als stolz angesehen zu werden: denn als Fremde müsse sie doppelt darauf achten. Ein unverhofftes Unglück hat ihr das Herz gebrochen, darum wünscht sie zu sterben.

ἐν ᾧ γὰρ ἦν μοι πάντα, γιγνώσκω καλῶς,
κάκιστος ἀνδρῶν ἐκβέβηχ' οὑμὸς πόσις.

Ihr Gemahl, für den sie alles gegeben, hat so schlecht an ihr gehandelt. Wehmütig klingt ihre Klage. Es folgt (Vers 230–251) die berühmte Stelle über das traurige Los der Frauen, schliessend mit den Worten: Lieber möchte ich dreimal hinter dem Schilde stehen (d. h. eine Schlacht mitmachen), als einmal gebären. Haben es die Frauen im allgemeinen schon schlecht, so ist ihr eigenes Schicksal erst recht beklagenswert; denn sie steht allein im fremden Lande, während die Korintherinnen doch Verwandte haben. Sie bittet die Frauen des Chors nur um die einzige Gunst, dass sie schweigen, wenn sie sich rächen will. Rache aber will sie an dem treulosen Gemahl, an seiner neuen Gattin und an deren Vater. Von den Kindern spricht sie nicht. Was die Amme in vorahnender Befürchtung ausgesprochen hat, daran denkt Medea noch gar nicht. Rache will sie an ihren Beleidigern. Im empfindlichsten Punkte ist sie getroffen worden, da auch die feigherzigste Frau blutdürstig wird: ihr Gatte hat sie verraten.

> γυνὴ γὰρ τἄλλα μὲν φόβου πλέα
> κακή τ' ἐς ἀλκὴν καὶ σίδηρον εἰσορᾶν·
> ὅταν δ' ἐς εὐνὴν ἠδικημένη κυρῇ,
> οὐκ ἔστιν ἄλλη φρὴν μιαιφονωτέρα.
>
> Für andre Dinge ist die Frau voll Furcht
> Und feig zur Abwehr und das Schwert zu schauen;
> Doch wenn sie in der Ehe wird gekränkt,
> Dann ist kein Mensch blutdürstigeren Sinnes.

Es ist nicht kleinliche Eifersucht, was sie zur Rache reizt, sondern die gekränkte Ehre der rechtmässigen Gattin [1].

Der Chor verspricht ihr, zu schweigen. Medea habe recht, sich zu rächen.

Da tritt Kreon auf und verkündigt Medea, sie habe samt ihren Kindern das Land zu verlassen. Medea wird von dem neuen Schlage hart getroffen, aber sie fragt doch, warum Kreon sie verbanne, und erhält zur Antwort, der König fürchte, sie möchte seinem Kinde etwas zu leide thun; er habe gehört, dass sie gedroht, ihm und dem Schwiegersohn und der Tochter etwas anzuthun, und sie gelte ja als weise und erfahren in bösen Künsten. Dem wolle er vorbeugen. Besser sei es, sie grolle ihm jetzt, als dass er zu milde sei und es später zu bereuen habe. Medea beklagt den Ruf der Weisheit und geheimen Künste, der ihr schon oft geschadet, ihr den Neid der einen und den Hass der andern zugezogen habe; Kreon aber habe nichts von ihr zu fürchten, er könne doch seine Tochter geben, wem er wolle. „Meinen Gemahl hasse ich,“ fährt sie fort. „Heiratet nur! lasst es euch wohl ergehen, nur sei mir gestattet, in diesem Lande zu wohnen. Ich werde schweigen, der Macht weichend, obgleich ich Unrecht erlitten habe.“ Kreon aber traut ihr nicht. Sie möge nur machen, dass sie fortkomme; er fürchte ihre Sanftmut mehr noch als ihren Zorn, giebt er ihr zu verstehen. Sie bittet dringender (an einen eigentlichen Fussfall ist dabei kaum zu denken, da die Worte *πρὸς γονάτων* etc. fast formelhaft geworden sind), aber er bleibt fest. Mit Schmerz gedenkt sie ihres Vaterlandes. Sie fleht ihn nur um einen Tag Aufschub an, damit sie sich besinnen könne, wohin sie fliehen solle. Nicht für sich bitte sie, sondern für ihre Kinder. Kreon sei ja selbst Vater, er müsse sie verstehen. Da giebt Kreon endlich nach, indem er sich seiner eigenen Milde rühmt. Medea darf den Tag durch bleiben, wenn aber das Licht des nächsten Morgens sie noch in Korinth erblickt, dann soll sie sterben. Mit diesen Worten entfernt er sich, während der Chor Medeas hartes Schicksal beklagt.

Medea selbst macht sich auf bittere Weise über Kreon lustig, der ihr den einen Tag bewilligt hat. An diesem einen Tage will sie nun drei ihrer Feinde töten, Vater, Tochter und ihren eigenen Gemahl, wie sie die Absicht schon vor Kreons Auftreten

[1] Ein Drama, »das von Eifersucht nichts enthält, dessen Leitmotiv aber der Ehefrau gekränkte Ehre ist«, nennt v. Wilamowitz a. a. O. p. 321 unser Stück.

ausgesprochen hat. Sie überlegt die Art und Weise und entscheidet sich für Gift. Aber wer wird sie dann künftig aufnehmen? Sie beschliesst also, auf eigene Sicherheit bedacht zu sein, und wenn diese sich nicht darbietet, ihre Feinde zu töten, sollte sie auch selbst darüber zu Grunde gehen. Es könnte auffallen, dass sie überhaupt an eigene Sicherheit denkt, da doch sonst nach psychologischer Erfahrung der Einsatz des eigenen Lebens nicht zu hoch erscheint, um so heiss gewünschte Rache zu vollziehen. Aber einerseits hatte Euripides die Tradition zu beachten, welche Medea nach der That weiterleben lässt, andererseits darf man nicht vergessen, dass sie bis jetzt noch nicht an den Kindermord denkt und schon um der Kinder willen sich zu erhalten suchen muss. – Nun aber gilt es, ihre ganze Kunst aufzubieten, und diese ist nicht gering. Ist sie doch ein Weib, zwar zu allem Guten ungeschickt, aber zum Bösen tüchtig, wie sie mit bitterer Ironie sagt (Vers 408).

Der Chor beklagt in einem Liede die entschwundene Treue. Nicht die Frauen, sondern die Männer werden künftig den Ruf der Treulosigkeit haben.

Nun tritt Jason auf; er kommt, wie er sagt, um zu sehen, dass Medea und die Kinder wenigstens nicht mittellos das Land verlassen müssen. Seine ganze Rede ist ein jämmerlicher Versuch zu eigener Rechtfertigung, wobei seine Herzlosigkeit noch deutlicher hervortritt. Er meint, Medea habe durch ihre gefährlichen Reden die Verbannung redlich verdient. Medea weiss sich nicht zu fassen vor Empörung. Dass er es noch wage, ihr vor Augen zu kommen, sei der Gipfel der Frechheit, aber sie könne ihm so doch wenigstens die Wahrheit sagen. Sie erinnert ihn an alles, was sie für ihn gethan hat, wie sie ihm das Leben gerettet, wie sie ihren Vater verraten, den Pelias umgebracht habe, alles um seinetwillen (Vers 475 ff.). Zum Dank für alles habe Jason sie verraten und eine andere Ehe geschlossen, nicht etwa wegen Kinderlosigkeit, was ihm noch zur Entschuldigung dienen möchte. Mit bitterer Ironie fragt sie ihn, wohin sie sich jetzt wenden solle? Etwa zum Vater, den sie um seinetwillen verlassen? Oder zu den Töchtern des Pelias? Freunde habe sie nicht mehr, und er sei daran schuld. Das also sei ihr Dank. Warum kann man doch echtes Gold von falschem unterscheiden, nicht aber die Menschen?

Jason antwortet verlegen. Kypris allein habe er zu danken unter allen Menschen und Göttern. Eros, d. h. ihre Liebe zu ihm, habe Medea allein bewogen, ihn zu retten, und dafür sei er ihr keinen Dank schuldig. Hat sie ja doch weit mehr empfangen als gegeben. Ist sie ja doch durch ihn Griechin geworden, und der Ruhm ihrer Weisheit hat nur in Griechenland, unter dem gesitteten Volke Wert. Ruhm unter Barbaren ist kein Ruhm. Auch die neue Ehe hat er, wie er sagt, als kluger Mann geschlossen, als ihr und ihrer Kinder Freund. Er sucht ihr zu beweisen, dass der neue Ehebund nur ihren Kindern zu gute kommen könne, insofern als dieselben dadurch vor Armut bewahrt bleiben. Wie wenig ernst es ihm dabei sein kann, ergiebt sich allein schon daraus, dass er ja die Kinder eben mit ihr ins Elend schicken will. Nur Starrsinn des Weibes ist es, fährt Jason fort, so sehr auf eine rechtmässige Ehe versessen zu sein. Als Medea von seinen Reden unüberzeugt bleibt, bricht er endlich in den Ausruf aus: Besser wäre es, es gäbe überhaupt keine Weiber, und die Männer könnten auf andere Weise Kinder gewinnen. Medea durchschaut sein sophistisches Gerede und tadelt ihn. Schon das allein beweise die Schlechtigkeit seiner Sache, dass er hinter ihrem Rücken gehandelt habe. Er giebt vor, er habe es gethan um ihres zornigen Mutes willen, aber sie sieht vielmehr den wahren Grund darin, dass er ihrer, der Barbarin, überdrüssig geworden sei. Jason fährt fort zu lügen und versteigt sich sogar zu der Behauptung, Medea sei gar nicht unglücklich. Darauf droht sie ihm, sie werde seinem Hause zum Fluch werden, und als er ihr Geld anbietet zur Reise, da weist sie in edlem Stolze das Anerbieten mit Entrüstung zurück und prophezeit ihm, er werde vielleicht seine neue Ehe bald widerrufen.

So geht Jason ab, ohne dass es ihm gelungen wäre, sich zu rechtfertigen, wie er es gehofft. Besondere Liebe für die Kinder hat er nicht an den Tag gelegt. Der Chor singt aber von den Gefahren einer allzu heftigen Leidenschaft, wie sie Medeas Unheil geworden ist, und wie sie wohl auch Jason nun zum Nachteil gereichen wird. Denn wenn Jason auch Medea gegenüber die Liebe zu Kreons Tochter in Abrede stellt, wie auch den Wunsch nach vermehrter Nachkommenschaft, so werden wir ihm kaum glauben. Dass aber Jason die Tochter Kreons habe heiraten müssen, um sich persönlich zu sichern, davon findet sich bei Euripides nichts. Wir werden sehen, wie die Spätern diesen Gedanken zu Jasons Rechtfertigung aufgegriffen haben. Hier bleibt kein vernünftiger Grund für die neue Ehe als neue Liebe und vielleicht noch Besitz, ein niedriger Beweggrund zum Treubruch. Unsere Sympathie für Medea wird nur gesteigert durch Jasons Erbärmlichkeit, der um einen Glücksfund (*τί τοῦδ' ἂν εὕρημ' ηὗρον εὐτυχέστερον*, Vers 553) die Treue gebrochen hat.

Medea ist nach Jasons Weggang und während des Chorliedes in dumpfem Sinnen vor dem Hause stehen geblieben. Da tritt Aigeus, der König von Athen, zu ihr und teilt ihr mit, er habe das Orakel zu Delphi befragt, auf welche Weise er Kinder bekommen könne. Während seiner Erzählung bemerkt er, wie abgehärmt Medea aussieht, und fragt sie nach dem Grunde ihrer Trauer. Er erfährt alles. Medea fleht Aigeus um seinen Schutz an und erhält ihn auch zugesagt; sie verspricht ihm dafür, ihn durch ihre Kunst von der Kinderlosigkeit zu befreien, und Aigeus zieht ab.

Für Medea ist sein Erscheinen — das ja allerdings dramatisch durch keine Notwendigkeit motiviert ist [1] — von grösster Wichtigkeit. Ihre Rache ist erst dann vollständig, wenn sie ein sicheres Asyl hat und ihrer Feinde spotten kann. Die Sorge für das persönliche Wohl ist eben charakteristisch für die griechische Medea.

[1] Schon L. Schiller (a. a. O., p. 17) rechtfertigt die Aigeus-Scene mit dem Schutz, den Medea nötig habe, da der Triumph ihrer Rache erst dann vollständig sei, wenn Jason sich nicht rächen könne. Glänzend verteidigt v. Wilamowitz die Aigeus-Scene mit dem attischen Interesse an der Aigeus-Fabel, a. a. O., p. 481. Vgl. zum folgenden, ebenda, p. 487 f.

2

Ein moderner Dichter dürfte diesen Umstand kaum so betonen. Aber die Hauptbedeutung der Scene liegt darin, dass Medea durch die Worte des Aigeus auf den Gedanken kommt, die Rache an Jason noch grässlicher zu gestalten. Wie viel einem Manne an Kindern gelegen sein muss, hat sie aus Aigeus Auftreten schliessen können. Wenn Jason die neue Gattin und mit ihr die Hoffnung auf neue Nachkommenschaft und zugleich seine beiden Knaben verliert, dann ist er ganz vernichtet, dann ist er auf das härteste bestraft. Wenn auch Medea mit keiner Silbe während der Anwesenheit des Aigeus auf diesen Gedanken hindeutet, so liegt er doch darin, ist die notwendige Voraussetzung des folgenden Entschlusses.

Nun Medea einen Zufluchtsort hat, liegt der Weg klar vor ihren Augen. Sie will zu Jason senden, ihm schmeicheln, als sehe sie nun ein, dass er Recht habe, und ihn bitten, dass wenigstens die Kinder in Korinth bleiben dürfen. Das soll ihr ein Mittel in die Hand geben, um Kreons Tochter zu töten. Denn die Kinder sollen zu der Stiefmutter gehen mit verderblichen Geschenken. Dann aber will sie die Knaben selbst töten. Sie äussert den festen Entschluss, zwar mit Wehmut über die grause That, die sie sich vornimmt, aber unabänderlich. Der Zweck ihres Handelns ist, Jason unglücklich zu machen, sich an ihm zu rächen, der Grund aber vor allem ihr beleidigter Stolz:

οὐ γὰρ γελᾶσθαι τλητὸν ἐξ ἐχθρῶν. (Vers 797.)

Der Kinderreichtum, auf den Jason hofft, wird von ihr vernichtet, indem sie ihre eigenen Kinder und Jasons neue Gattin tötet. So sendet Medea, vergeblich vom Chor ermahnt, ihre Dienerin ab, um Jason zu holen.

Der Chor stimmt, durch Aigeus Auftreten veranlasst — auch dies ist wohl eine Begründung der Aigeus-Scene — ein Lied an zum Preise Attikas, weil Medea dorthin gehen will. Wie aber soll die heilige Stadt die unheilige Kindermörderin aufnehmen? So benützt der Chor das Lob Athens dazu, die Unglückliche von ihrem grausamen Entschluss abzubringen.

Unterdessen ist Jason gekommen, Medeas Botschaft folgend. Sie redet ihn versöhnlich an, bittet ihn um Verzeihung für ihre früheren Worte und erinnert ihn an all das Liebe, das früher zwischen ihnen geschehen. Sie giebt vor, sie sei indessen ganz seiner Meinung geworden, und ruft die Kinder herbei, damit sie den Vater begrüssen. Während dieser Trugscene, da sie doch hauptsächlich darauf bedacht ist, Jason zu täuschen, kommt zuweilen ihr mütterlicher Schmerz zum Durchbruch, wenn sie an die Zukunft denkt.

οἴμοι κακῶν
ὡς ἐννοοῦμαι δή τι τῶν κεκρυμμένων.

Jason lässt sich täuschen. Er ist froh über Medeas Sinnesänderung und lobt sie sogar darum. Dann wendet er sich an die Kinder und spricht seine Hoffnungen für die Zukunft aus. Sie würden einst noch die Ersten sein in Korinth mit ihren

Brüdern. Offenbar hofft er, sie später einmal aus der Verbannung zurückrufen zu können. Jedenfalls zeigt er hier schon mehr Anteil an ihnen, wenn er auch nicht einmal zärtlich genug ist, einen Versuch zu machen, um sie dazubehalten. Es lässt sich das wohl erklären aus einem Rest von Mitleid für Medea oder von Scheu, ihr das Letzte, die Kinder, zu entreissen.

Medea weint; denn sie weiss ja, dass Jasons Hoffnungen für die Kinder nicht in Erfüllung gehen werden, und ihr graut vor ihrer eigenen Absicht. Um die Ursache ihrer Thränen befragt, antwortet sie Jason, sie sei um die Zukunft besorgt. Ihre Worte haben dabei einen Doppelsinn, indem sie für Medea selbst und den Zuschauer auf den blutigen Plan hinweisen, während sie für Jason nur auf die Verbannung zu zielen scheinen. Nun bringt Medea ihre wohlüberlegte Bitte vor, dass die Kinder bleiben dürfen. Jason verspricht, sein möglichstes zu thun. Er will, wie sie verlangt, seine neue Gattin um ihre Fürsprache bei Kreon ersuchen. Medea sagt ihm, sie wolle die Kinder mit Geschenken zu Kreons Tochter senden, und Jason giebt es zu, obschon er die Geschenke überflüssig findet, da seine Überredung genügen werde. Es ist schon oft gesagt worden, wenn es Jason so leicht werde, die Kinder behalten zu dürfen, so sei es eben ein Beweis für seine geringe Liebe zu ihnen, dass er es bisher nicht versucht habe, und darum sei sein Schmerz später zu wenig motiviert. Mir scheint diese Unterlassung eben durch die Rücksicht auf Medea begründet, und dass er die Kinder gern behalten will, zeigt eben, dass sie ihm nicht gleichgültig sind. Seine ersten Worte: „Ich weiss nicht, ob ich (Kreon) überreden werde, aber man muss es versuchen“, entspringen dem Zweifel, ob es wohl Medea ernst sei, oder ob sie ihn nur auf die Probe stellen wolle. Als er aber aus Medeas Aufforderung, er möge Kreons Tochter um ihre Fürbitte ersuchen, merkt, dass Medea ernstlich daran denkt, da ist er gleich überzeugt, dass er die Erfüllung seiner Bitte erlangen wird, und er muss ja wissen, dass Kreon thut, was seine Tochter wünscht. Dieses rasche Zugreifen Jasons bei Medeas Anerbieten, die Kinder dazulassen, beweist seine Liebe zu denselben, die sich bisher nicht so deutlich zeigen durfte, und muss in Medea die Überzeugung nähren, wie viel er von den Kindern hält, und wie sehr ihn die Rache darum treffen wird. Bei der Feinheit der euripideischen Charaktere ist diese Annahme nicht zu gewagt.

Aber eine andere Frage drängt sich sogleich auf. Medea ist ja entschlossen, die Kinder zu töten; warum denn stellt sie diese Forderung, dass die Knaben bleiben dürfen? Um ihre Feinde ganz in Sicherheit zu wiegen, nimmt man an, und darum sende sie auch die Kinder mit Geschenken an Kreons Tochter. Aber sie könnte ja die Geschenke auch auf andere Weise an ihre Feindin schicken, beispielsweise durch Jason selbst, so dass er unwissentlich mithelfen müsste zum Verderben seiner neuen Geliebten. Ich kann mir überhaupt nicht anders erklären, warum sie von Jason selbst die Begnadigung der Kinder erbitten will, als dass sie im Sinne hat, so seine Anhänglichkeit an die Knaben und die Wirksamkeit ihrer Rache auf die Probe zu stellen. Das ist die Hauptsache, woneben die andern Gründe, dass sie Jason sicher machen und den ersten Teil ihrer Rache einleiten will, bestehen bleiben.

Die Kinder werden also abgesandt, nachdem ihnen Medea eingeschärft hat, die Gaben ja nur in die eigene Hand der Fürstin zu legen, und Jason entfernt sich zugleich mit den Knaben. Der Chor beklagt in seinem Liede das Unheil, das im Werden ist.

Dann kommt der Pädagog mit den Kindern zurück und berichtet die günstige Aufnahme der Geschenke. Die Kinder sollen nicht verbannt werden, meldet er und bemerkt mit Erstaunen, wie wenig Medea sich über die Nachricht freut. Sie beginnt vielmehr zu klagen; denn sie denkt an die schreckliche That, die ihr nun obliegt, und schickt, um ungestörter zu sein, den Pädagogen ins Haus, während sie die Knaben noch ein Weilchen bei sich behält. Nun folgt der herbe Kampf zwischen Rachsucht und Mutterliebe. Mit Recht ist betont worden, dass für Medea nach Ausführung des ersten Teiles ihrer Rache auch der zweite, die Tötung der Kinder, zum Zwang wird, und dass sie darum entsetzt ist. Ihr mütterlicher Schmerz kommt zum Ausbruch. Sie bejammert ihr künftiges kinderloses Leben, und als die Kinder sie ansehen, glaubt sie, sich kaum halten zu können.

φεῦ φεῦ· τί προσδέρκεσθέ μ' ὄμμασιν, τέκνα;

Sie zweifelt an der Kraft, es ausführen zu können, will den Gedanken fahren lassen und die Kinder lieber mit sich fortnehmen. Aber da denkt sie wieder an den Spott der Feinde:

καίτοι τί πάσχω; βούλομαι γέλωτ' ὀφλεῖν
ἐχθροὺς μεθεῖσα τοὺς ἐμοὺς ἀζημίους;

Aber die Rache ist ja schon im Gang, wie kann sie denn von Straflosigkeit ihrer Feinde sprechen? Schon hat Kreons Tochter die verhängnisvollen Geschenke empfangen. Medea denkt offenbar an Jason allein, dessen Strafe erst vollendet ist, wenn er auch die Kinder verloren hat. Der beleidigte Stolz gewinnt die Oberhand über die Mutterliebe, die Entschlossenheit zur That kehrt zurück. Aber während sie die Kinder auffordert, ins Haus zu treten, und dem Chor verbietet, sich in ihre Sachen zu mischen, befällt sie neues Zaudern. Bald entschliesst sie sich um so fester. Die Feinde sollen ihre Kinder nicht misshandeln. Sobald wir einen Zwang für die That annehmen, dürfen wir diese Worte nicht als blosse Sophistik der Leidenschaft auffassen, wie es gewöhnlich geschieht. Medea muss ja fürchten, dass die Korinthier sich an ihren Kindern rächen werden. Nochmals nimmt sie zärtlich Abschied von den Knaben, und diese gehen ins Haus. Medea weiss, dass sie eine schlechte That zu begehen im Begriffe ist, aber:

θυμὸς δὲ κρείσσων τῶν ἐμῶν βουλευμάτων.

Der Zorn, die Leidenschaft ist stärker als die Überlegung. Die Mutterliebe muss verstummen, damit die Rache in ihrem vollen Umfange gemäss dem vorgefassten Plane ausgeführt wird. Medea bleibt noch auf der Bühne, und der Chor singt von den Mühen und Sorgen, die man mit Kindern hat, und davon, dass die Kinderlosen oft glücklicher seien.

Nun kommt ein Diener Jasons und berichtet von der grässlichen Wirkung der Geschenke. Kreon und seine Tochter sind tot. Medea verrät eine wilde Freude, nur von der Süssigkeit der Rache erfüllt, die augenblicklich jedes andere Gefühl überwiegt. So fordert und erhält sie einen ausführlichen Bericht an dem sie sich stillschweigend weidet. Zwei Umstände sind es, welche der Dichter geschickt eingeflochten hat, um uns mit dem grässlichen Tode der neuen Gattin Jasons zu versöhnen. Sie hat sich feindselig abgewandt beim Anblick der Knaben und die grösste Eitelkeit gezeigt, als sie sich mit den Geschenken Medeas, mit dem Kopfschmuck und dem Gewande geschmückt hat. Nehmen wir dazu die Schuld, die sie wirklich hat, indem sie Jason der rechtmässigen Gattin geraubt, so bleibt wenig Mitleid für die eitle Närrin übrig. Nur der Chor bedauert sie, findet aber gleichzeitig, es sei Jason recht geschehen, und billigt damit Medeas That.

Medea hat schweigend den Bericht zu Ende gehört. Nun will sie ihren Entschluss ausführen und die Kinder töten, dann das Land verlassen. Die Kinder sollen nicht einer feindlicheren Hand zum Tode überliefert werden; besser, es tötet sie, die sie geboren hat. Eine Nötigung für die That ist schon eingetreten, als sie die Geschenke gesandt hat. Nun ist der Zwang völlig da [1]. Lässt sie die Kinder hier, nun Kreon und seine Tochter durch ihre Schuld umgekommen sind, so muss sie fürchten, dass die Korinthier ihre Kinder aus Rache töten, wie es nach der alten Fassung der Sage ja wirklich geschieht. Sie muss nun, was sie gewollt hat. Aber warum entflieht sie nicht gleich mit den Kindern? Auch dann müsste sie fürchten, eingeholt zu werden und die Kinder, mit denen sie so rasch nicht fliehen kann, von der Hand der Korinthier sterben zu sehen; denn von einer Hülfe des Helios weiss sie natürlich noch nichts. Was sie sich zur vollen Rache an Jason vorgenommen hat, aber mit so schweren Kämpfen, dass ein Aufgeben des Planes, ein Sieg der Mutterliebe immer noch möglich gewesen ist, das muss sie jetzt thun. Das erleichtert die That an sich, aber erhöht den Schmerz und erregt Mitleid mit der Unglücklichen. — Medea ermahnt ihr Herz zur Härte, ihre Hand zur Festigkeit. Nur diesen Tag will sie ihrer Kinder vergessen, um sie später zu beklagen. So schreitet sie ins Haus.

---

[1] v. Arnim, a. a. O., S. XXII f., unterscheidet zu fein zwischen einer innern und einer äussern Notwendigkeit. Der erste Erfolg habe sie dem Dämon der Rache ganz überliefert, und ihr weiteres Handeln stehe ihr nun mit innerer Notwendigkeit gegenüber, die äussere Notwendigkeit sei nur nebensächlich betont. Die eigentliche Notwendigkeit des Kindesmordes existiert aber gar nicht ohne den äussern Zwang durch die Gefahr, die den Kindern von seiten der Korinthier droht. Bis zu diesem Zeitpunkte behält sie noch immer den freien Willen, die Rache in vollem Umfange auszuführen oder nicht. Dann aber tritt der Zwang ein.

Der Chor jammert über Medeas Beginnen. Dazwischen hört man die Angstrufe der Kinder, die umsonst den mordenden Händen der Mutter zu entrinnen suchen. Die Stimmen verstummen, der Mord ist geschehen. Diese Scene muss auf der Bühne von grösster Wirksamkeit gewesen sein. Die Teilnahme des Hörers wurde gewiss aufs äusserste gespannt, und doch war das Allzugrauenhafte der That dadurch gemildert, dass sie nicht vor den Augen der Zuschauer geschah, während sie ihnen doch sinnlich zum Bewusstsein gelangte durch das Ohr, das für Empfindungen der Furcht viel empfänglicher ist.

Jason kommt, da die That schon geschehen ist, und fragt nach Medea. Sie soll ihre Strafe erleiden. An ihr ist ihm wenig gelegen, aber nun, da er Frau und Schwiegervater verloren hat, bangt ihm für die Kinder. Wie wirksam ist jetzt diese Sorge für die Knaben, da sie, wie der Zuschauer schon weiss, tot sind! Jason hat schon vorher Anteil für die Kinder verraten, wenn auch nicht in sehr hohem Masse. Jetzt sind sie alles, was ihm übrig geblieben ist, darum wird seine Liebe gesteigert. Auch er fürchtet, die Korinthier könnten die Schandthat Medeas an seinen Kindern rächen. Das ist nicht nur eine Anspielung an die alte Sage, sondern Jason muss, da er gar nicht an eine solche That Medeas denkt, um so schrecklicher von der Mitteilung des Chores getroffen werden. Ja, noch bei den ersten Worten des Chores denkt er nur, Medea wolle auch ihn töten, und erfährt erst dann die volle Wahrheit. Verzweifelnd befiehlt er seinen Dienern, die Thüren des Hauses zu sprengen. Es ist zu spät. Medea erscheint in der Höhe auf einem Drachenwagen, den ihr Ahnherr Helios ihr gesandt hat. Die Leichen der Kinder hat sie bei sich. Jasons hasserfüllter, ohnmächtiger Wutausbruch zeigt, dass ihn die Rache ganz getroffen hat. Nun sehe er ein, dass die Götter die Strafe für Medeas Verbrechen auf ihn gelenkt hätten. Nie würde eine Griechin solches gethan haben. Eine Löwin, kein Weib habe er geheiratet.

> ἐμοὶ δὲ τὸν ἐμὸν δαίμον' αἰάζειν πάρα,
> ὃς οὔτε λέκτρων νεογάμων ὀνήσομαι,
> οὐ παῖδας οὓς ἔφυσα κἀξεθρεψάμην
> ἕξω προσειπεῖν ζῶντας, ἀλλ' ἀπώλεσα.

So sind alle seine Hoffnungen dahin. Medea aber triumphiert im Gefühl ihrer Rache. Ihr Stolz ist befriedigt, und als ihr Jason vorhält, dass sie sich ja selbst durch diese That Schmerz bereitet habe, entgegnet sie:

> λύει δ' ἄλγος, ἢν σὺ μὴ 'γγελᾷς.

Jason bittet, die Toten bestatten zu dürfen, aber Medea will sie selbst begraben, damit keine feindliche Hand die Gräber verwüste. Sie sagt ihm, sie werde zu Aigeus gehen, und prophezeit ihm sein ruhmloses Ende. Jason bricht in Klagen aus. Erst starr, dann zornig erregt, wird er nun ganz weich und möchte die Kinder noch einmal küssen, noch einmal berühren, aber Medea gestattet es nicht, sondern entschwebt. Mit einem Anruf an Zeus bleibt Jason verzweifelnd zurück.

Die „Medea“ des Euripides bildet die Grundlage für alle späteren Dramen, welche den Stoff behandeln, und ist das beste Stück des Dichters. Was man von alters her daran getadelt hat, ist zum grössten Teil gar nicht tadelnswert. Dass die Aigeus-Scene, so wenig das Auftreten des athenischen Königs an sich motiviert ist, für die Handlung grosse Bedeutung hat, haben wir gesehen. Der zweite Hauptvorwurf richtet sich dagegen, dass der Dichter die That Medeas viel zu sehr von Anfang an andeute und viel zu früh den ganzen Plan merken lasse. Aber abgesehen davon, dass die dramatische Technik der Griechen hierin eine andere gewesen ist als die moderne, und dass ja meistens schon der Prolog bei Euripides die ganze Handlung verrät, um die allzugrosse Spannung abzuschwächen und auf die einzelnen Ausführungen aufmerksam zu machen, so darf man gerade bei der Medea nicht vergessen, dass der Dichter in der Fabel so bedeutend von der volkstümlichen Sage abweicht, und dass er diese Abweichung den Zuschauern möglichst zum Bewusstsein bringen musste. Sonst wäre der Kindermord wohl gar zu ungeheuerlich erschienen. Überdies pflegen wir solche Andeutungen, weil wir den Ausgang des Stückes kennen, zu überschätzen. Der Prolog der „Medea“ enthält gar keine direkte Anspielung. Ja er würde sogar auf eine falsche Fährte führen, wenn man die Worte der Amme von einem beabsichtigten Selbstmord Medeas (Verse 39 und 40) als echt annehmen könnte. Wer das Stück zum erstenmal sah, oder wer es, ohne den Inhalt zu kennen, liest, wird zuerst nur die bange Ahnung aus den Worten der Amme entnehmen, dass den Kindern Gefahr droht. Ihren Entschluss äussert Medea erst nach der Aigeus-Scene, und auch dann noch bleibt die Spannung, ob sie es thun wird.

Ein dritter Vorwurf trifft den deus ex machina, oder hier besser den Drachenwagen des Helios. Aber der Wagen erscheint erst, als die Katastrophe schon geschehen ist und trägt nichts zur Lösung bei. Gewiss hätte der Dichter Medea auch auf andere Weise dem zornigen Jason entgehen lassen können. Sie hat überdies von dem gebrochenen und für sein eigenes Leben ängstlichen Manne kaum etwas zu besorgen. Euripides hat es nun einmal so gewollt, und mit ihm darüber zu rechten, wäre müssig.

Die genannten Punkte mussten die späteren Bearbeiter vor allem zu Änderungen veranlassen.

Unter den Charakteren des Stückes tritt am gewaltigsten derjenige der Hauptperson hervor. Medea, die dämonische Frau, ist als Barbarin gezeichnet in der Wildheit ihres Zornes. Mit Recht hat der Dichter die Zauberin in ihr nicht betont. Sie ist vor allem das in seinen heiligsten Rechten verletzte Weib, das unbändig hasst, wie es unbändig geliebt hat. Darum gehört ihr unsere volle Sympathie. Die Empörung über Jasons Verrat und der beleidigte Stolz sind die Triebfedern ihres Handelns. Wir sehen sie ringen mit ihrer Leidenschaft, und wenn die Rache siegt, so ist das Mitleid mit der unglücklichen Mutter grösser als das Grauen vor der wilden Barbarin. Ihre Verstellung ist vielmehr Selbstbeherrschung und entspringt ihrer ungemeinen Willenskraft.

Jason hat nichts Heldenhaftes an sich. Wie kommt dieser schwächliche Mann zu dem gewaltigen Weibe? Treulosigkeit und Undank, in sophistische Beschönigung verhüllt, sind seine hervorstechendsten Eigenschaften. Um äusseren Vorteils willen bricht er die Treue. Er zeigt sich sogar furchtsam. So erweckt sein Schicksal kein Mitleid. Dieser Charakter musste die Nachahmer zu Änderungen reizen, aber solche konnten nur auf Kosten Medeas geschehen.

Kreon tritt wenig hervor. Besondere Härte zeigt er nicht; verbannt er doch Medea erst nach ihren gefährlichen Drohungen. Seine Schuld besteht darin, dass er Jason zur Untreue veranlasst hat. Seine Strafe ist jedenfalls hart genug.

Die Nebenpersonen, die ihrer Herrin treu ergebene Amme, welche selbst vor Medeas Leidenschaft schaudert, und der etwas mürrische, ziemlich gleichgültige Pädagog erwecken wenig Interesse.

Die stummen Personen, die Tochter Kreons, welche gar nicht auftritt, sondern bloss als leichtsinniges und eitles Wesen geschildert wird, und die Kinder, welche nur als Objekt der Rache erscheinen, treten ganz zurück.

Der Chor ist auf seiten Medeas und erhöht die Sympathie für die Heldin. Kreons Tochter und die Kinder waren für die Späteren ein dankbarer Stoff zur Weiterführung.

So gruppiert sich bei Euripides alles um Medea, so dass ihre That im Mittelpunkte des ganzen Interesses steht und die Handlung vollkommen einheitlich ist.

Seneca.

Wenden wir uns nun zu dem römischen Bearbeiter des Stoffes. Der berühmte Philosoph L. Annaeus Seneca (4 vor bis 65 nach Ch.) schrieb seine Tragödien zu einer Zeit, da in Rom die dramatische Kunst schon stark in Verfall geraten war, als das römische Publikum durch die grausamen Tierspiele und Fechterkämpfe an aufregendere Schauspiele gewöhnt war, als sie die Bühne zu bieten vermochte, und kaum noch mimischen Darstellungen Beifall zollte. Natürlich hat Seneca seine Stücke auch im Hinblick auf die Bühne geschrieben, aber dass sie jemals aufgeführt worden sind, ist zum mindesten sehr unwahrscheinlich. Es waren Lesedramen. Von den griechischen Tragödien bis zu Senecas Dichtungen ist ein weiter Sprung. Vorliebe für das Grauenhafte und hochtönender Schwulst der Sprache, beides dem Geiste seiner Zeit entsprechend, ein epigrammatisch zugespitzter Dialog, in dem sich der Philosoph der Kaiserzeit gefällt, sind diesen Stücken besonders eigen und machen sie für unsern Geschmack fast alle ungeniessbar. Aber nach Form und Inhalt haben sie die Litteratur stark beeinflusst. Medea ist wohl des Dichters bestes Stück.

Es kann sich bei den Stücken der Nachahmer nicht um eine ausführliche Analyse handeln, sondern bloss um Hervorhebung der wichtigsten Entlehnungen und Änderungen.

Seneca lässt Medea selbst gleich zu Anfang des Stückes auftreten und die Rachegeister mit ungeheurem Pathos um Beistand für ihre Pläne anflehen. Die neue Ehe Jasons ist noch nicht geschlossen, aber sie steht unmittelbar bevor, und Medea ist zur Rache im vollen Umfange bereit. Jasons neue Gattin und sein Schwiegervater sollen umkommen, der Ungetreue selbst aber soll am Leben bleiben, um im Bewusstsein seiner Schuld zu verzweifeln. Der Kindermord wird angedeutet (parta, iam parta ultio est: peperi. Vers 25 f.). Medea bittet sodann ihren Ahnherrn Sol um seinen Drachenwagen. Dadurch dachte der Dichter wohl in zwei Punkten seinen Vorgänger zu verbessern: die Erscheinung des Wagens am Schluss ist nun kein plötzlicher Eingriff des Gottes mehr, sondern bloss eine Erfüllung von Medeas Bitte, und die Aigeus-Scene wird überflüssig, da Medea nun von vornherein auf den Schutz Sols rechnet.

Weil die neue Ehe Jasons nun erst vollzogen werden soll, stimmt der Chor einen Hymenäus an, und durch dieses Hochzeitlied von neuem an ihr Unglück erinnert, steigert Medea ihre Wut und Rachlust, doch richtet sich ihr Zorn hier nicht in erster Linie gegen den undankbaren Jason, um dessen willen bei Euripides auch die andern fallen müssen, sondern ganz besonders gegen Kreon, den harten und grausamen Tyrannen, welcher an allem schuld ist. Als die Amme der Zürnenden rät, ihre Pläne doch besser zu verbergen, will sie nichts davon wissen, und auf den Einwand, dass sie doch ganz verlassen sei im fremden Lande, dass ihr nichts übrig geblieben sei von aller Macht, antwortet sie stolz: Medea superest!

Der Gedanke ist, wie oft bei Seneca, epigrammatisch und darum wirkungsvoll, so dass er auch zur Nachahmung gereizt hat.

Kaum hat Medea ihren Entschluss zur Rache ausgesprochen, so erscheint Kreon, der bei Seneca vollständig zu einem feigen und grausamen Tyrannen geworden ist, wozu der Dichter das Vorbild nicht weit zu suchen brauchte. Aus seinen Worten erfahren wir eine bemerkenswerte Neuerung. Kreon hat Medea töten lassen wollen und ist nur durch Jasons Bitten davon abgehalten worden. Je grausamer der König ist, um so verdienter erscheint sein Untergang, und je milder Jason auftritt, desto mehr gewinnt er unser Mitleid. Dies ist unverkennbar des Dichters Absicht. In dem nun folgenden Dialog rühmt sich Medea ihrer königlichen Abkunft und ist nicht karg mit ihrem Eigenlobe. Sie hat die Blüte Griechenlands vor dem Untergange gerettet: nur die Rettung Jasons rechnet sie sich nicht zum Verdienste an: denn ihn hat sie für sich selbst gerettet. Sie geht so weit, zu behaupten, die Rettung der Griechen, der Feinde ihres Vaterlandes, sei ihr einziges Verbrechen. Medeas Selbstlob nimmt hier eine viel breitere Stelle ein als bei *Euripides*, wo sie sich einzig der Rettung Jasons rühmt, und zwar nur diesem gegenüber, um ihm seinen Undank vorzuhalten. Neu ist nun auch, dass sie Kreon

3

bittet, ihr Jason zurückzugeben und sie, wenn nicht in Korinth selbst, doch in einem Winkel des Landes bleiben zu lassen. Kreon will natürlich nichts davon wissen und findet weitere Milde überflüssig. Es sei genug, dass er Jason als Schwiegersohn aufgenommen habe, obschon Acastus, der Sohn des ermordeten Pelias, Jasons Auslieferung verlangt habe. Jason habe sich wegen des Mordes rechtfertigen können, Medea aber nicht. Nochmals befiehlt er ihr darum in den schärfsten Ausdrücken, die zum Teil auf Wendungen des *Euripides* zurückgehen[1], das Land zu verlassen.

Für Kreon ist also hier ein äusserer Zwang zu seiner Handlungsweise vorhanden, weil die Auslieferung verlangt wird, wovon sich bei *Euripides* nichts findet. Dadurch scheint seine Schuld wieder etwas gemildert. Jason ist unschuldig am Morde des Pelias. Medea wendet dagegen ein, um Jasons willen sei doch Pelias getötet worden. Sie bittet dann, als Kreon an ihrer Verbannung festhält, dass wenigstens die Kinder bleiben dürfen, und Kreon sagt es zu. Bei *Euripides* bittet Medea Jason selbst um diese Gunst und um seine Fürsprache bei Kreons Tochter. Seneca lässt dieses Motiv fallen. Die Folge davon ist, dass Medea nun gar keinen Grund hat, Kreusa zu beschenken, dass also die Geschenke verdächtig sein müssen, und dass man nicht recht einsehen kann, warum denn eigentlich die Kinder bleiben sollen, da sie dieselben später doch wieder erbittet. Wenn dann Medea einen Tag Aufschub erfleht und erhält, wie bei *Euripides*, so fällt die Begründung weg, dass es um der Kinder willen geschieht, da diese ja schon bleiben dürfen. So hat sich Seneca durch seine Veränderungen in Fehler verwickelt.

Der Chor zeigt bei Seneca keine Teilnahme für Medea. In seinem Liede, das von den Gefahren und schlimmen Folgen der Seefahrt handelt, sind bemerkenswert jene berühmten Verse, welche oft als Prophezeiung der Entdeckung Amerikas angeführt worden sind:

> Venient annis saecula seris,
> Quibus Oceanus vincula rerum
> Laxet et ingens pateat tellus
> Thetisque novos detegat orbes
> Nec sit terris ultima Thule. (V. 378–382.)

Nach Kreons Entfernung ist Medea zur Rache entschlossen um jeden Preis, sollte sie auch selbst darüber zu Grunde gehen.

Die meisten Veränderungen hat Seneca an dem Charakter des Jason vorgenommen, den er nun auftreten lässt. Aus dem Monolog Jasons erfahren wir, dass er vor die Wahl gestellt worden ist, selber zu sterben oder Medea die Treue zu brechen. Hätte er für sich den Tod gewählt, so hätten auch die unschuldigen

[1] Medea sagt bei E., Ver. 407 ff. πεφύκαμεν ..... κακῶν πάντων τέκτονες σοφώταται. S. lässt Kreon die Medea nennen: machinatrix facinorum, cui feminea nequitia ad audenda omnia robur virile est (Ver. 266).

Knaben sterben müssen. Darum hat er den Ausweg der Vermählung mit Kreusa ergriffen. Damit Medeas Rache Jason um so härter treffe, wird er also als zärtlicher Vater charakterisiert, der alles um der Kinder willen thut. Er ist also nicht mehr der Mann, der für äussern Vorteil seine Gattin opfert. Notwendigkeit zwingt ihn dazu. Das entschuldigt seine ganze Handlungsweise. Dadurch wird aber Medeas That um so grässlicher. Sie ist ein Abscheu und Schrecken erregendes Weib geworden, das unsere Sympathie völlig verliert. Mit ganz anderem Bewusstsein kann ein solcher Jason einer solchen Medea gegenübertreten. Aus dem Wechselgespräch, das nun folgt, ist als neu hervorzuheben, dass Jason Medea entgegenhalten kann, er habe auch ihr das Leben gerettet durch seine Fürbitte bei Kreon. Sie wirft ihm die Liebe für Kreusa vor, und er antwortet:

Medea amores obicit?

Das ist ein Anklang an die Behauptung des euripideischen Jason, Medea habe ihn ja nur gerettet, weil Eros sie dazu getrieben. Als er die Mitschuld an ihren Verbrechen ablehnt, antwortet sie:

> Tua illa tua sunt illa: cui prodest scelus,
> is fecit. omnes coniugem infamem arguant,
> solus tuere, solus insontem voca!
> tibi innocens sit, quisquis est pro te nocens.

Medea fordert Jason heftig auf, er solle mit ihr fliehen, aber er will nicht. Seine angetragene Unterstützung für die Reise schlägt sie aus und bittet nur noch, entgegen ihrem früheren Gesuch an Kreon, dass die Kinder mit ihr gehen dürfen. Jason verweigert ihr auch diese Bitte; er könne eher Atem und Licht entbehren als die Kinder. Das gerade hat Medea hören wollen:

sic gnatos amat? bene est, tenetur, vulneri patuit locus.

Wenn er die Kinder so sehr liebt, so hat sie ihn in der Hand, so weiss sie, wie sie ihn am tödlichsten treffen kann. So wird Medeas Entschluss durch die ausgesprochene Liebe Jasons zu den Kindern deutlich veranlasst. Die Bitte im Gegensatz zu der früheren gegenüber Kreon geschieht nur aus List, um Jasons Gesinnung zu prüfen. Medea begehrt gar nicht, die Kinder mitzunehmen, sie will sich nur von Jasons Vaterliebe überzeugen. So giebt sie denn gleich nach, bittet um Verzeihung wegen ihrer harten Worte und ersucht ihn um die letzte Gunst, die Kinder noch einmal umarmen zu dürfen. Jason geht, und Medea beginnt die Ausführung ihrer Rachepläne. Die Amme muss ihr behülflich sein; die verhängnisvollen Geschenke sollen geholt, vergiftet und an Kreusa gesandt werden.

Der Chor singt von der Leidenschaft eines hassenden Weibes, die stärker ist selbst als Naturtrieb, und wünscht nur, dass Jason am Leben bleibe. Alles, was geschehen ist, ist die Rache des durch die Argofahrt beleidigten Meeres; wie alle andern Teilnehmer an jenem Zuge wird wohl auch Jason ein schlimmes Ende nehmen.

Die nun folgenden Scenen sind ganz Eigentum des Seneca und zeigen seine Vorliebe für das Grauenhafte. Wir erfahren erst durch die Amme von Medeas Beschwörungen und sehen dann Medea selbst, wie sie die Beschwörungsformeln ausspricht, alle Geister und Götter der Unterwelt, dann besonders noch ihren Ahnherrn Phoebus und Hekate zur Rache anruft und das verhängnisvolle Gewand für Kreusa weiht. Medea wird eben hier ganz als Zauberin gezeichnet, entsprechend der Vorliebe der römischen Kaiserzeit für derartige Gebräuche. Senecas Beschwörungsscene hat das Vorbild geliefert für ähnliche Scenen bei unserm Gryphius und Daniel Kasper, wie beiläufig erwähnt werden mag.

Nach geendigter Beschwörung werden die Kinder mit den Geschenken zu Kreusa geschickt. Der Chor spricht seine Befürchtungen aus wegen Medeas. Dann kommt ein Bote, während wir uns denken müssen, dass die Kinder indessen zu Medea zurückgekehrt sind. Der Bericht vom Untergang Kreons und seiner Tochter ist hier nur ganz kurz gefasst. Die Amme rät zu schleunigster Rettung durch Flucht. Medea aber ist voll Freude über die vollzogene Rache. Noch ist sie aber nicht ganz befriedigt. Das Schwerste liegt ihr noch ob.

quidquid admissum est adhuc, pietas vocetur . . .
Medea nunc sum, crevit ingenium malis.

Jetzt erst bin ich ganz ich selbst, will sie sagen, die Medea, welche den Vater verraten und den Bruder getötet hat und welche nun auch diese äusserste Rache vollziehen muss. Noch ringt sie mit dem Entschlusse. Die Mutterliebe regt sich und lässt sie zittern, aber nur kurze Zeit. Sind die Kinder denn schuldlos? Ein Verbrechen für sie ist es, Jason zum Vater, ein grösseres, Medea zur Mutter zu haben.

occidant . . . non sunt mei!

Die Begründung des äusseren Zwanges ist nur ganz knapp angedeutet, mit einem einzigen Verse:

iam iam meo rapientur avulsi e sinu.

und mit Recht; denn da Medea ja hier die Sendung des Drachenwagens sicher erwartet, wäre es ihr ein Leichtes, die Kinder zu retten. Sie giebt sich hier also wirklich nur selbst einen Scheingrund. Weil sie fühlt, dass sie nur in der Raserei einer solchen That fähig sein werde, bringt sie sich selbst in Wut, indem sie sich die Leiche ihres ermordeten Bruders vorstellt. Nicht nur zur Bestrafung Jasons, sondern zur Sühne für den getöteten Bruder müssen also die Kinder fallen. So geht sie ins Haus, die That zu vollziehen.

Jason stürmt herbei an der Spitze der Korinthier, die er gegen Medea führen will. Sie erscheint auf dem Dache des Hauses, sieht Jason und beschliesst, vor seinen Augen den Mord zu vollbringen. Er will das Haus in Brand stecken. Einen

Knaben hat sie schon getötet, und den andern mordet sie, wie sehr Jason auch fleht, vor seinen Augen und spottet seiner mit blutigem Hohne. Er bittet, sie möge auch ihn töten, aber das wäre ja Mitleid in ihren Augen. Er soll leben und elend sein! Sie erhebt sich auf ihrem Drachenwagen in die Lüfte, die Kinder aber überlässt sie (im Gegensatz zu der Medea des *Euripides*) nun, da sie tot sind, dem Vater. Jason bleibt in ohnmächtiger Wut verzweifelnd zurück und ruft der von dannen Fahrenden nach:

testare nullos esse qua veheris deos!

Mit diesen für die römische Kaiserzeit charakteristischen Worten schliesst das Stück.

Abweichungen in Charakteren und Handlung sind im einzelnen schon betrachtet worden, abgesehen von der letzten, dass Medea auf der Bühne vor Jasons und des Zuschauers Augen den Mord begeht. Es ist dies eine entschiedene Verrohung des ästhetischen Gefühls im Vergleich mit der attischen Tragödie, mag aber dem Geschmack der Zeit entsprochen haben und selbst theatralisch recht wirksam gewesen sein, wenn man annehmen will, dass das Stück nicht nur zur Lektüre bestimmt gewesen sei. Man denke nur an Shakespeares Stücke, die von derartigen Scenen voll sind, eben weil sie dem Geschmack ihrer Zeit entsprachen. Seit Lessing im Laokoon Senecas Tragödien verurteilt hat, indem er alle ihre Personen „Klopffechter im Kothurne“ nennt, ist das Urteil über diese Stücke ein hartes geblieben. Die Schwülstigkeit der Sprache und die geschraubte Spitzfindigkeit des Dialoges sind auch unleugbar. Einige Neuere dagegen nehmen Seneca in Schutz und beanspruchen vor allem einen andern Massstab für die Beurteilung [1]. Dies zugegeben, muss man doch daran festhalten, dass die Änderungen Senecas an dem Stoffe, wie ihn Euripides gestaltet hat, durchaus unglücklich sind. Die Veranlassung zum Morde ist abgeschwächt, die Sendung der Geschenke durch die Kinder unbegründet; Medea ist eine barbarische Zauberin, eine herzlose Mutter, ohne jeden edeln Zug; Jason ist zwar ein zärtlicher Vater geworden, aber um nichts heldenhafter, weil er hier Mitleid verdient. Man rufe sich die einzelnen übrigen Züge ins Gedächtnis zurück, so wird man überzeugt sein, welchen Rückschritt die römische Medea gegenüber der griechischen bedeutet.

Schade ist es, dass wir Ovids Stück nicht mehr besitzen, welches von Quintilian so gerühmt wird. Wie weit übrigens Seneca diese verlorene „Medea“ benützt hat, da er sich ja sprachlich oft stark an Ovid anlehnt, entzieht sich unsrer Beurteilung [2].

---

[1] So Singer in seinem oben citierten Vortrage. Er beruft sich dabei auf einen Ausspruch des berühmten Historikers Ranke: «Die beiden Tragödien sind, obwohl einander entgegengesetzt, beide bewunderungswürdig. Medea gilt als das beste Stück des Euripides, der dabei allen natürlichen und menschlichen Rücksichten Rechnung trug. Die Medea des Seneca ist wohl das beste Produkt der tragischen Muse der Römer — durchaus römisch und mit dem erweiterten Horizont der Kaiserzeit.»

[2] O. Ribbeck in der «Geschichte der römischen Dichtung» (II, 247, Stuttgart 1889) vermutet, dass Ovid «nicht nur die Charakterzeichnung der Heldin, sondern auch thatsächliche Voraus-

Corneille.

Der erste Bearbeiter des Stoffes in der neueren Litteratur und auf französischem Boden ist Pierre Corneille (1606—1684), dessen „Medea", 1635 erschienen, den Übergang zwischen seinen Lustspielen und seinen klassischen Tragödien bildet. Natürlich ist auch er durchaus abhängig von seiner Zeit, so dass seine Griechen bloss verkleidete Franzosen sind. Zudem hat er in „Médée" bei weitem noch nicht die Höhe seiner späteren Stücke erreicht. So steht seine Medea, absolut genommen, tief unter derjenigen Senecas, während er das griechische wie das römische Stück zu verbessern meinte. In der Hauptsache hat er sich, wie er selbst sagt, streng an Seneca gehalten und ganze Stellen aus dessen Stück wörtlich übersetzt (C. 217—225 = S. 17—26; C. 288 f. = S. 117; C. 270/71 = S. 35; C. 273 = S. 116 u. s. w., u. s. w.); aber während er die Deklamation und Weitschweifigkeit seines Vorbildes beibehalten, hat er dessen Stärke, die philosophischen Gedanken, unglaublich verwässert. Eine Vergleichung im einzelnen ist hier überflüssig. Für die Art, wie er verfährt, mag ein Beispiel genügen. Senecas Sentenz: fortuna fortes metuit, ignavos premit (V. 159) umschreibt Corneille mit sechs ganzen Alexandrinern (V. 308—313). Die berühmte, vielbewunderte Stelle, da Medea auf die Frage der Amme, was ihr denn übrig bleibe, antwortet: moi! (320) ist bekanntlich ebenfalls aus Seneca entlehnt, ist dessen „Medea superest!" (166).

Die Neuerungen, die Corneille an dem Stoffe vorgenommen hat, lassen sich kurz zusammenstellen. Zunächst hat er neu eingeführt die Person des Pollux, um jemand zu haben, dem Jason in der Exposition das Geschehene und seine Beweggründe auseinandersetzen kann. Jasons Motiv ist hier die Liebe zu Kreusa, wie er sich denn überhaupt als Don Juan aufspielt und mit Selbstgefälligkeit von seinen Liebschaften spricht. Dabei betont er aber, dass er stets verstanden habe, das Nützliche mit dem Angenehmen zu verbinden und in seiner Liebe Nebenzwecke zu verfolgen, schon bei Hypsipyle, dann bei Medea und nun bei Kreusa. Acastus hat Jasons und Medeas Auslieferung verlangt. Kreon darauf seine Tochter Jason angetragen, um ihn zu retten, Medea dagegen verbannt. Hätte er des Königs Anerbieten ausgeschlagen, so wären sie alle verloren gewesen. Zu der so stark betonten neuen Liebe tritt also noch ein äusserer Zwang, der sich damit nicht recht reimen will. Dazu kommt nun noch ein dritter Grund, die Rücksicht auf die Kinder, die ohne diesen Schritt Jasons umkommen müssen. Jason soll eben auch als zärtlicher Vater

---

setzungen, Motive und Gedanken) der zwölften Heroide in seiner Tragödie wiederholt habe, und versucht den Inhalt der verlorenen Tragödie danach einigermassen zu rekonstruieren. Er weist ferner auf die Übereinstimmung der Medea Senecas mit wesentlichen Zügen der ovidischen Elegie hin und schliesst daraus, dass Seneca wesentlich Ovid nachgeahmt habe. Das alles hat gewiss seine volle Berechtigung, und die sprachliche Anlehnung insbesondere fällt wohl jedem Leser des Seneca sofort auf. Was aber die thatsächliche Benutzung Ovids durch Seneca und den Inhalt des verlorenen Stückes anbelangt, so bleibt es natürlich bei Vermutungen trotz der besten Rekonstruktion

erscheinen. Es sind also der Motive für Jasons Handlungsweise beinahe zu viele. Pollux nimmt sich der verstossenen Medea in ritterlicher Weise an, wirft Jason Undank vor und warnt ihn vor Medeas Rache, aber Jason glaubt sich durch Medeas Verbannung hinlänglich geschützt.

Nach diesem Eingang tritt Kreusa auf, die Corneille also zuerst als handelnde Person erscheinen lässt, und Jason beschwört sie bei ihrer Liebe, dass die Kinder bleiben dürfen. Der Wunsch geht also nicht von Medea aus. Medeas Auftreten, der Entschluss zur Rache und die Erörterungen mit der Amme stimmen ganz mit Seneca überein, auch die Unterredung Kreons mit Medea, nur dass diese sich hier beklagt, dass man die Kinder zurückbehalten will, ohne dass sie indessen einen ernstlichen Versuch macht, sie mit sich nehmen zu dürfen. Neu ist auch, dass Kreon von sich aus, ohne dass Medea ihn darum bittet, ihr einen Tag Aufschub gewährt. Auffallen muss Kreons barsches Benehmen gegen Medea, die er doch als Zauberin zu fürchten hat. Seneca hat dem vorgebeugt V. [illegible] f.. Corneille hat daran nicht gedacht.

Corneille fand namentlich, dass die alten Dichter zu wenig darauf geachtet hätten, wie verdächtig die Geschenke Medeas dem fürstlichen Hause sein mussten. Um diesen Fehler zu vermeiden, erfand er einen läppischen Ausweg: Kreusa muss selbst um Medeas Kleid bitten, das ihr in die Augen gestochen hat. Sie bittet Jason, ihr dieses Kleid zu verschaffen, zum Dank dafür, dass sie ihm seine Kinder gerettet. Das Kleid wird sogar ausführlich geschildert, und Jason verspricht, ihrem Wunsche mit Nerinens Hülfe zu willfahren. Die Lächerlichkeit dieses Motivs braucht nicht auseinandergesetzt zu werden. Man könnte höchstens zur Rechtfertigung des Dichters sagen, Kreusas Geschick werde tragischer dadurch, dass sie selbst die Ursache ihres Verderbens ist.

Jason begehrt dann das Kleid von Nerine, Medea kommt dazu. Das Gespräch zwischen den beiden lehnt sich wörtlich an *Seneca*; von ihm stammt auch, dass Medea nun doch um ihre Kinder bittet, nur ist der Widerspruch weggefallen, da sie bei Corneille ja nie darum gebeten hat, dass die Knaben bleiben dürfen. Neu ist eben nur die Bitte um das Kleid. Medea bereitet nun die Rache vor. Das vergiftete Gewand wird durch Nerine (nicht durch die Kinder) zu Kreusa gebracht. Nerine erkundigt sich übrigens, ob sie selbst nicht dabei zu Schaden kommen könne, und muss von Medea erst beruhigt werden. Die Verdächtigkeit des Geschenkes erschien dem Dichter so schwerwiegend, dass er Kreon auch jetzt noch durch Pollux vor der Gefahr warnen lässt.

Um Medeas Zaubermacht zu zeigen, lässt der Dichter sie sodann zu Anfang des letzten Aktes den Diener Theudas festbannen, damit er ihr die Wirkung der Geschenke erzählen muss. Warum hat Medea denn ihre Macht nicht schon früher gegen Kreon und seine Soldaten oder gegen den ungetreuen Gatten selbst angewandt? Schon Voltaire machte auf den Widerspruch aufmerksam, dass die mächtige

Zauberin von Kreon bedroht wird [1]. Weislich tritt bei Euripides die Zauberin gegen das beleidigte Weib zurück, und Seneca lässt sie ihre Zaubermittel verborgen haben und erst zum eigentlichen Zwecke wieder hervornehmen. Corneille will verbessern und bedenkt nicht, dass diese Medea ebensogut mit ihrem magischen Stäbchen Jason und die Kinder fortziehen und Kreon in eine Bildsäule verwandeln könnte. Die Erzählung von den Leiden Kreons und Kreusas würde nun zwar genügen, aber Corneille bringt die Sterbenden, von unsichtbarem Feuer Gequälten auf die Bühne und lässt sie da in unsäglicher Abgeschmacktheit zwei Auftritte lang den Geist aushauchen. Diese Scene soll nach Corneilles eigenem Ausspruch das Mitleid für die Betroffenen abschwächen und die Gunst des Zuschauers Medea zuwenden! (Examen de Médée). Jason kehrt von einem Spaziergang mit Pollux, den er an den Hafen begleitet hat, zurück, und jammert ratlos, als er sieht, was vorgegangen ist. In seiner Wut beschliesst er, Medea zu töten, aber auch die Kinder will er umbringen. So ungereimt dieser Entschluss von seiten des zärtlichen Vaters ist, als welcher Jason vorher erscheint, der grösste Unsinn ist es doch, dass dadurch das Motiv des Kindermordes zerstört wird. Ein Jason, der selbst die Kinder töten will, kann doch durch deren Ermordung von der Hand der Mutter nicht bestraft werden! Er kommt übrigens zu spät. Medea hat die Knaben schon getötet und entflieht auf dem Drachenwagen; Jason aber hält noch einen verzweiflungsvollen Monolog und tötet sich dann selbst, als ob er nicht viel mehr bestraft wäre, wenn er (wie bei den Alten) allein und unglücklich weiterleben muss.

Corneille hat auch Ägeus aus *Euripides* wieder aufgenommen und ihm eine eigene Handlung zugewiesen. Ägeus liebt Kreusa, wird von ihr abgewiesen, versucht, sie zu entführen, wird aber gefangen genommen. Medea befreit ihn aus dem Kerker, und er verspricht ihr dafür ein Asyl in Athen. Die ganze Episode ist überflüssig und lächerlich.

So hat also Corneille mit allen seinen Neuerungen den ursprünglichen Stoff nur misshandelt und ein Stück hervorgebracht, das man füglich als schlecht bezeichnen darf, wenn man es mit einem allgemeinen Masstabe misst. Für seine Zeit war es gut und ein erster höherer Schwung eines Dichters, der später Gutes geleistet hat.

Longepierre.

Sechzig Jahre nach Corneilles Medea ging ein neues Stück dieses Inhalts über die Bühne, bedeutend schlechter und doch von solchem Erfolge, dass es dasjenige Corneilles vom Theater völlig verdrängte und sich bis in die neuere Zeit auf der Bühne erhielt. Verfasser dieser Médée, welche am 13. Februar 1694 zuerst aufgeführt wurde, ist Hilaire-Bernard de Requeleyne, seigneur de Longepierre, geboren

[1] Vgl. Voltaire, «Remarques sur Médée», Werke, Bd. 50, p. 60—96.

1659 zu Dijon, Jesuitenzögling, reich und unabhängig, gestorben in Paris 1721. Seine übrigen, noch schwächeren Dichtungen fallen für uns ausser Betracht. In der Vorrede seiner Medea stellt Longepierre sein eigenes Stück weit unter die antiken, verwahrt sich aber dagegen, dass er Corneille ausgeschrieben habe, indem er vielmehr auf Seneca als gemeinsame Quelle verweist.

Trotz dieser Verwahrung zeigt Longepierres Tragödie die direkteste Anlehnung an Corneille. Der ganze Eingang, das Gespräch zwischen Jason und seinem Vertrauten Iphite (dem Pollux bei Corneille) ist dorther entnommen; denn Seneca hat davon nichts. Auch die Motive für Jasons Handlungsweise sind dieselben, also in erster Linie die Liebe zu Kreusa, hier nur noch stärker betont, aber auch der Gedanke an den Nutzen einer solchen neuen Verbindung. Dabei glaubt Jason hier, Medeas Liebe zu ihm werde stärker sein als ihr Zorn und ihre Zaubermacht. Neu ist eine eingeschobene Scene, welche Jasons Liebeserklärung gegen Kreusa enthält. Kreusa giebt ihre Gegenliebe zu erkennen, äussert aber auch Furcht vor Medeas Zorn. Dann erscheint Kreon und verkündet, dass Acastus die Auslieferung verlange, aber nur Medeas, so dass sich für Jason gleich alles günstig fügt. Wenn dieser also für Medea bittet, die er doch loszuwerden wünscht, so ist das blosse Heuchelei und eine nichtssagende Wendung, wenn er den König ersucht, das Los der Verbannten möglichst zu lindern; denn Jason ist doch gleich zur Scheidung und zu der neuen Ehe bereit, die ihm Kreon anbietet. Der König will Medea nicht ausliefern, sondern bloss verbannen und ihr diesen Entschluss selbst mitteilen. Im Gegensatz zu Corneille verlegt also Longepierre das Auslieferungsbegehren und Medeas Verbannung in das Stück selbst, indem er sich näher an Seneca hält. Von den Kindern ist noch keine Rede.

Wenn der erste Akt also wesentlich auf Corneille zurückgeht, so schliesst sich der zweite, grösstenteils wörtlich, an den Eingang zu Senecas Tragödie an. Medea tritt auf, nachdem sie den Hymenäus gehört hat. Es folgt das Gespräch mit der Amme, dann der Entschluss zur Rache, die Unterredung mit Kreon und endlich mit Jason, alles wie bei Seneca. Wie bei Corneille erhält Medea Frist bis zum nächsten Tage, ohne dass sie darum bittet. Neu ist bei Longepierre nur, dass Medea erst von Jason erfährt, dass die Kinder dableiben sollen, was sie bisher nicht geahnt hat. Das Bleiben der Kinder, hier von vornherein Jasons Absicht, muss Medea erst recht als Raub erscheinen und sie direkt zur Rache veranlassen. Es ist dies eine glückliche Neuerung. Die doppelte Bitte Medeas bei Seneca hat zwar schon Corneille weggelassen, aber erst Longepierre lässt es in Jasons Augen als selbstverständlich erscheinen, dass die Kinder bleiben, und giebt ihm so Gelegenheit (mit Senecas Worten), seine Liebe zu den Kindern zu äussern und dadurch Medea den Weg zur Rache zu weisen.

Nun tritt aber eine Stockung der Handlung ein, statt dass Medea gleich zur Rache schreitet. Jason muss die Bedenken Kreusas überwinden. Sie fürchtet Medeas Zorn und hegt Mitleid gegen die Unglückliche; ihr ist auch bange, Jason möchte ihr selbst untreu werden. Jason beruhigt sie: die Knaben dienten als Geiseln gegen Medeas Zorn. Er schwört ihr bei allen Göttern, ihr werde er treu bleiben, und Kreusa lässt sich beruhigen und willigt ein, Jasons Frau zu werden. Nun erscheint Medea, sanft und nachgiebig, bittet noch einmal um die Kinder, verzichtet aber sogleich und fleht nur, die Kinder mit Geschenken an Kreusa schicken zu dürfen, damit diese sich milde gegen die Knaben zeige. Das zweite Auftreten Medeas, die Wiederholung derselben, schon abschlägig beschiedenen Bitte ist ein Fehler, zu dem der Dichter veranlasst wurde, um die Sendung der Geschenke motivieren zu können. Dann bereitet Medea die Rache vor. Corneilles lächerliche Erfindung, dass Kreusa das Kleid gewünscht habe, wird, wenn auch bloss erzählend, beibehalten. — Longepierre hat also ein zweimaliges Zusammentreffen Medeas und Jasons, wie bei Euripides, aber ohne dessen Motivierung, und im Gegensatz zu Seneca und Corneille.

Der vierte Akt enthält die Beschwörung, die Sendung der Geschenke durch die Kinder in Begleitung der Amme und den Entschluss zum Kindermord aus Furcht vor dem künftigen traurigen Schicksal der Knaben und zur Rache an Jason, also nichts Neues. Das verhängnisvolle Feuer soll unsichtbar sein, wie bei Corneille, und nur Kreon und Kreusa verletzen können. Bei Seneca (V. 840 ff.) sollen die Flammen nur solange unsichtbar sein, bis ihre Wirkung an Kreusa sich vollzogen hat; denn nachher geht ja das ganze Haus in Feuer auf. Medea fürchtet nicht, dass die Korinthier die Kinder töten würden, sondern bloss, dass sie in Sklaverei leben müssten. Ein zwingender äusserer Grund ist also nicht vorhanden.

Der Erfolg der Sendung wird hier von der Amme Rhodope erzählt. Das übrige vollzieht sich wie bei Corneille. Kreusa kommt sterbend auf die Bühne und haucht unter Liebesseufzern zu Jasons Füssen ihren Geist aus. Auch diese Geschmacklosigkeit Corneilles hat Longepierre beibehalten, wenn er auch Kreon wenigstens hinter der Scene sterben lässt. Medea erscheint dann und bannt mit ihrem Zauberstab Jason fest, wie den Theudas bei Corneille, nur ist die Sache hier noch schlimmer; denn es ist ebensowenig ein Grund vorhanden, weshalb sie das nicht schon früher gethan hat, und die Art, wie sie den zur Unbeweglichkeit verzauberten Jason verhöhnt, ist abscheulich. Dann entweicht sie auf dem Drachenwagen, und den Schluss bildet Jasons Selbstmord. So ist also Longepierres Stück [1] durchaus eine sklavische und talentlose Nachahmung Corneilles.

[1] Longepierres Stück, das ich lange vergeblich aufzutreiben gesucht, hat mir Herr Professor Dr. Freymond in Bern endlich zugänglich gemacht, wofür ich ihm auch an dieser Stelle meinen Dank ausspreche. Es findet sich im ersten Bande der Sammlung »Répertoire du théâtre français«, Paris 1801. — Geoffroy hat auch in einem seiner Feuilletons Longepierres Stück besprochen (gedruckt im »Cours de littérature dramatique«, Tome I, p. 218—280, Paris 1825). Das Wichtigste in dieser Besprechung ist, dass er den Stoff an sich verurteilt (wie übrigens schon Voltaire), weil die Aufgabe des Dichters sei, dieses Ungeheuer von Medea begreiflich, mitleidenswert zu machen, also das Schlechte, das Abscheuliche zu schmücken. Er setzt ebenfalls Longepierres Stück weit unter dasjenige Corneilles.

J. B. Rousseau.

Ein Stück, welches bloss die Vorgeschichte zum Gegenstande hat, soll wenigstens beiläufig erwähnt werden. Es ist die sogenannte Tragödie „Jason" des J. B. Rousseau (1670—1741), in Wirklichkeit eine herzlich unbedeutende Oper. Die Handlung spielt sich in Kolchis ab. Jason denkt mit Sehnsucht an Hypsipyle zurück und heuchelt Medea nur Liebe, um das Vliess zu gewinnen. Er hilft dem Könige die Skythen verjagen und darf dafür begehren, was er will; aber sein Wunsch, das Vliess zu besitzen, versetzt den König in Bestürzung, da seine Herrschaft und sein Leben an den Besitz dieses Kleinods geknüpft ist. Er will indessen seinen Eid halten. Jason soll versuchen, das Vliess zu erringen. Medea hat schon Jasons Untreue erkannt, dass es ihm nämlich um das Vliess und nicht um sie zu thun ist, mahnt ihn aber von dem Unternehmen ab, indem sie ihm die Gefahren schildert. Nun erscheint Hypsipyle auf einem Delphinenwagen und klagt, als sie Jason vor sich fliehen sieht. Neptun mit seinen Tritonen und Nereiden will sie trösten, aber sie eilt Jason nach. Dabei trifft sie mit Medea zusammen, die ihr einredet, Jason habe hier neue Liebe gefunden. Dann kommt Jason selbst und versichert Hypsipyle seiner unwandelbaren Liebe, und als Medea in ihrem Zorne Ungeheuer hervorzaubert, werden diese Dämonen durch Orpheus' Gesang besänftigt. Amor erscheint auf einer Wolke, und Medea bleibt machtlos. Sie fragt nun die Sibylle nach dem künftigen Schicksal, aber erhält nur dunkle Prophezeiung. Da spiegelt sie Hypsipyle vor, Jason sei tot, und Hypsipyle tötet sich selbst. Dann ermutigt Medea ihren Vater zum Kampf mit den Griechen mit Hülfe der erdentsprossenen Krieger. Während des Streites erscheint sie selbst in der Luft mit dem Vliess und verkündet Jason, sie fliege nach Griechenland, er möge ihr nachfolgen. Jason beklagt Hypsipyle und schifft sich ein, um Rache zu nehmen an Medea. Die ganze Vorgeschichte der Sage ist also hier in der willkürlichsten Weise umgestaltet und mit einem ganzen Apparat von Göttererscheinungen ausgeschmückt. Unverkennbar hat auf die Person der Hypsipyle die Gestalt Kreusas in den Medeen-Dramen eingewirkt. So unbedeutend das Machwerk ist, liefert es doch Anknüpfungspunkte für die späteren Stücke.

Die „Médée" des Legouvé erschien erst 1854, nachdem Grillparzers Stück längst erschienen war, und hat zur Entwicklung und Weiterbildung des Stoffes nichts mehr beigetragen.

Eigentümlich ist es, dass in Deutschland, wo der Stoff doch längst allgemein bekannt war, verhältnismässig erst so spät sich dramatische Behandlungen vorfinden. Selbst Gryphius und Daniel Casper, die doch sonst das Grauenhafte mit

Vorliebe auf die Bühne gebracht haben, wagten sich nicht an diesen Stoff, den sie doch bei ihrem beliebten Vorbilde Seneca fanden. Gryphius nennt sogar Medea in „Cardenio und Celinde“ (Vers 644), und was sich von Geisterbeschwörung in demselben Stücke findet, erinnert lebhaft an Senecas Medea.

Erst Lessing nähert sich unserm Motiv in seiner „Miss Sarah Sampson“, wenn Marwood da aus Hass gegen den ungetreuen Mellefont ihre Tochter Bella zu töten droht mit dem Ruf: „Sieh in mir eine neue Medea!“ (Akt II, Scene 7). Doch da der Mord nicht vollzogen wird, gehört das Stück nicht zu der Fassung, die wir dem Motiv gegeben haben. Aber immerhin hat der Charakter der Medea durch Marwood später einigen Einfluss erfahren; jedenfalls ist auch der Charakter Arabellas, ihre Liebe zu beiden Eltern, so dass sie sich nicht für einen Teil entschliessen kann, nicht ohne Wirkung auf die späteren Kinderscenen geblieben. Zudem liefert das Stück einen Beweis dafür, dass die Geschichte der Medea allgemein bekannt war. Dieselbe Voraussetzung hat auch, was Lessing im dritten Kapitel des Laokoon von den bildlichen Darstellungen der Medea sagt. Von Goethe ist mir nur eine Erwähnung des Stoffes gegenwärtig. Im neunten Buche von „Dichtung und Wahrheit“ (Ausgabe letzter Hand XXV, 236) schildert er die Gemälde der Tapeten in dem Gebäude, das zum Empfang der Maria Antoinette bestimmt war, und verurteilt den Gegenstand der Hauptdarstellung, eben die Geschichte von Jason, Medea und Kreusa, aufs schärfste als höchst unpassend zum Empfang einer Königin, die ihrem Gemahl entgegenreiste. Hier urteilte er natürlich nach den Umständen, aber vielleicht hielt er den Stoff an sich auch zu dramatischer Behandlung für ungeeignet, wie Voltaire. Ob und wie er sich über Grillparzers „Goldenes Vliess“ geäussert hat, ist mir nicht bekannt.

Gotter war es, der unter den deutschen Dichtern den Stoff zuerst dramatisch behandelte.

F. W. Gotter.

Friedrich Wilhelm Gotter, 1746 geboren, studierte die Rechte in Göttingen, wo er dem Hainbund angehörte, und starb 1797 in Gotha als geheimer Sekretär. Seine Dichtungen sind ziemlich verschollen.

Gotter machte den Versuch, den gewaltigen Stoff in den engen Rahmen eines Singspiels, einer Oper, einzuzwängen und zudem in der Form eines Monodramas. Für bedeutende Gegenstände ist das fast immer verfehlt. Motivierung und Charakteristik verlieren ungemein, besonders wenn der Verfasser des Textes keine wirkliche Begabung hat. So werden grossartige Stoffe oft traurig misshandelt. Nur Wagner mag als Ausnahme gelten. Gotter war aber kein grosser Dichter, und sein Melodrama besitzt nur geringen Wert. Jedenfalls hat Gotter von seinen Vorgängern Corneille gekannt, wie er denn auch in seinen anderweitigen Versuchen die Franzosen nachahmte. Das Stück wurde 1775 veröffentlicht.

Gotters Stück ist ein Monodrama, d. h. die Handlung beruht auf einer einzigen Person, hier natürlich Medea. Jason ist vor ihr nach Korinth gekommen. Sie folgt ihm nun auf dem Drachenwagen, der also schon zu Beginn der Oper erscheint, und betritt den Palast Kreons. Wie bei Euripides beklagt sie ihre Zaubermacht, die ihr nur zum Unglück gereicht. Dann zieht der prächtige Hochzeitszug über die Bühne. Medea kommt auf den Gedanken, die Kinder zu töten, und redet sich ein, wie bei Euripides, es sei nur eine Wohlthat für die Knaben, wenn sie sie töte, damit sie nicht in Knechtschaft und Verachtung geraten. Gotter hat dabei nicht bedacht, wie nichtig diese Befürchtung hier ist, da Medea die Knaben ja nur auf ihren mitgebrachten Drachenwagen zu nehmen brauchte. Die Wärterin bringt die Kinder herbei, Medea ringt mit ihrem Entschluss und beschliesst dann, mit dem Jüngeren zu beginnen, weil er dem Vater ähnlich sieht. Dies ist eine glückliche Erfindung Gotters. Im Moment der Ausführung von neuem Zaudern befallen, hört Medea den Jubel der Hochzeit, und das giebt den nötigen Antrieb, wie bei Seneca. Sie zaubert Nacht und Sturm herauf, stürzt ins Haus und vollbringt die That. Jason hat im Dunkel die Braut von der Seite verloren, kommt nun, von Angst gehetzt, herbei, erblickt die Leichen der Kinder in dem sich öffnenden Gemache, sieht Medea auf ihrem Drachenwagen davonfahren und stürzt sich verzweifelnd in sein Schwert. Der Schluss ist also Corneille nachgebildet.

So hat Gotter wenig Neues und nur einen glücklichen Gedanken. Verfehlt ist, dass die Rache an Kreon und Kreusa aufgegeben wird, die einfach im Dunkel verschwinden. Um so unnatürlicher erscheint der Kindermord, der nur als Gipfel der Rache seine richtige Bedeutung hat, nicht aber, wenn er vereinzelt dasteht. Wir wissen nicht, ob Kreusa tot ist, begreifen darum nicht, warum Jason sie nicht sucht, statt sich zu töten. Aber bei der Ärmlichkeit des Ganzen (34 S.) fehlt eben die Motivierung. Das Melodrama soll seinerzeit beliebt gewesen sein.

Klinger.

Maximilian Klinger (1752—1831), der bekannte Dichter des „Sturm und Drang", hat dem Stoff eine ganz andere Bedeutung zu geben gewusst. Er hat zwei Medeen geschrieben: „Medea in Korinth" (1786) und „Medea auf dem Kaukasus" (1790). Nur das erste Stück fällt in den Bereich unserer Darstellung, während das zweite Medeas Tod zum Gegenstande hat. Schon durch die äussere Form unterscheidet sich sein Stück von allen früheren: es ist in Prosa geschrieben. Klinger hat seine Vorgänger gekannt und benützt, besonders Euripides und Seneca: an den letzteren finden sich zahlreiche Anklänge. Dabei verfährt er aber durchaus selbständig und als echter Dichter.

Klinger lässt das Schicksal als Prolog auftreten, und da erfahren wir, dass ein Verhängnis über dem Hause Medeas schwebt. Aphrodite ist schuld an allem.

Sie will sich rächen an den Nachkommen des Helios, weil dieser ihre Liebe zu Mars offenbart hat. Darum entflammt sie im Herzen Jasons neue Liebe. So wird durch ein schweres Geschick, durch den Götterzorn, die Handlung in ein anderes Licht gerückt.

Fast alle Charaktere sind bei Klinger verändert, während die thatsächliche Handlung dieselbe ist. An den einzelnen Personen lassen sich seine Änderungen am besten nachweisen.

Medea erscheint hier ganz als übermenschliches, dämonisches Weib, die Tochter der Sonne, von ihrer Mutter Hekate mit Zaubermacht begabt. Vielleicht ist eine symbolische Bedeutung dadurch beabsichtigt, dass Medea vom Lichtgotte und der Göttin der Nacht abstammt. Sie steht hoch über den Menschen, nur ihr Liebesbund mit Jason hat sie mit der Menschheit verknüpft. Reisst dieses Band, dann hat sie nichts mehr mit den Irdischen zu schaffen. Sie hat ihre dämonische Macht vergessen, seit sie Jasons Weib geworden ist (vgl. Seneca, V. 680 ff.), aber doch fürchtet sich alles vor ihr, selbst der Geliebte empfindet Grauen, während sie ihn immer noch liebt, selbst als sie seine Treulosigkeit weiss. Der Gedanke der Rache liegt in ihrem Geiste als ein ungeheueres Etwas, das sie nicht ausdenken, nicht sehen will, sie, die sonst die Menschen durchschaut und weiss, was sie sprechen wollen, ehe sie den Mund geöffnet haben. So sagt sie zu Kreon auf seine Frage, was sie denke:

„Kurzsinniger Forscher! möchtest du mich wüten sehen? Nichts denk' ich, ein starres, leeres Nichts, durch das ein namenloses Etwas zittert.“ Und als Kreon ihr vorhält, was ihr denn anderes übrig bleibe als die Flucht, entgegnet sie:

„Ich und ich würd' ich sagen: wäre dieses Wort, kühn in dem Munde des Sterblichen, der Mut fasst, das Schicksal zu bekämpfen, in dem meinen nicht leerer Schall.“ So hat Klinger das „Medea superest!“ des Seneca aufgenommen, aber in andern Zusammenhang gebracht. Wilde Raserei ist ihr fremd; sie ist zu gross und zu mächtig dazu. Selbst Kreusa gegenüber, mit der sie Klinger zuerst ins Gespräch gebracht hat, beschränkt sie sich darauf, ihr Anrecht an Jason durch das, was sie für ihn gethan hat, geltend zu machen und mit der Rache zu drohen, und vor Jason demütigt sie sich sogar bis zum Fussfall (bei Euripides kniet sie vor Aigeus, V. 710 f.) um seiner Liebe und der Kinder willen. Das Hauptmotiv, der Kindermord, wird dadurch vertieft. Man raubt ihr die Kinder, ohne sie darum zu fragen, ohne dass sie daran denkt, um das Bleiben der Knaben zu bitten, und verletzt sie so in ihrer Mutterliebe. Schon Corneille und nach ihm Longepierre haben diesen Raub der Kinder, aber bei Klinger tritt noch dazu, dass die Knaben selbst die Mutter kränken durch Zuneigung zu der Nebenbuhlerin Kreusa. Das ist ein wichtiges psychologisches Motiv, das Klinger selbständig erfunden hat. Die Mutterliebe in ihr ist so mächtig, dass sie Jason zu verzeihen gewillt ist, wenn er ihr nur die Kinder lässt. Sie versucht alles, aber umsonst. Nur der Abschied von den Kindern wird ihr gestattet. Als Helios untergegangen ist, da hat die Nacht Gewalt über sie.

Noch hängt sie mit ganzem Herzen an den Kindern, aber Hekate fordert Sühne für die Ermordung des Absyrthus, und so muss Medea, von äusserem Zwang gedrängt, das ungeheuere Etwas vollbringen und die Kinder töten. Damit hat sie alles gelöst, was sie an die Menschheit bindet. „Vollbracht ist die That! Ich hab' mit den Menschen durch mein eigen Leben gerissen. Hier steh' ich im Dunkel der Nacht, fürchtlich gross!“ Fortan kennt sie auch keine Reue, sie fühlt nur den Triumph der Rache an dem Ungetreuen. Auf die Höhen des Kaukasus flieht sie, sich dort zu betrachten in ihrem furchtbaren Selbst.

Jason ist bei Klinger viel edler und männlicher als bei den Vorgängern. Er ist ein Held, ist ein Mann, den es am meisten bedrückt, seinen Ruhm dem Weibe verdanken zu müssen. Der Grund für seine Untreue ist ein doppelter. Wohl weiss er, was er Medea zu danken hat, und er leugnet es nicht, sondern gesteht seine Verpflichtung zu. Aber ihn graut vor dem dämonischen, übermenschlichen Weibe, vor dessen Macht er sich hat beugen müssen. Das Band ist ihm drückend geworden, welches nur durch Furcht und die Liebe zu den Söhnen ihn an Medea fesselt. Eine unüberbrückbare Kluft trennt ihn von der schrecklichen Gattin. Als sie ihm, wie bei Seneca (tua illa tua sunt illa: cui prodest scelus, is fecit, V. 503 f.) vorhält, dass ihre Verbrechen sein Werk seien, da entgegnet er: „Eben dieses macht mich nun elend.“[4] Ihn drückt, ihn quält das Verhältnis zu dem Weibe, welches so schrecklich gefrevelt hat um seinetwillen. Ihre Demut ist ihm sogar furchtbar. Als sie sich bittend vor ihm erniedrigt, sagt er: „Furchtbare! nie bist du stolzer als in der Demut.“ (Vielleicht hat Klinger Longepierres Stück gekannt, wo Jason zu Medea sagt: „Pour moi votre fureur etoit moins redoutable ... Ah! je crains votre amour plus que votre courroux.“[5]) Hier in Korinth hat Jason ein anderes Weib kennen gelernt, ein menschliches, weiches, zartes, schwaches Kind, in allem das Widerspiel der Gewaltigen, Dämonischen, die schrecklich ist in ihrer Liebe wie in ihrem Zorn. So nimmt neue Liebe ihn gefangen und macht den innerlich längst geschehenen Bruch mit Medea zu einem sichtbaren. Für Medea fühlt er nur kaltes Erstaunen, für Kreusa Liebe. Hier kann er frei, darf er Mensch, seines Weibes Haupt und Beschützer sein; dort ist er gebunden, gelähmt, seiner Manneswürde beraubt. Darum bricht er mit Medea, und weil sein menschliches Herz liebend an den Kindern hängt, raubt er ihr auch diese und handelt so unmenschlich gegen die Verstossene. Sie wird es tragen, sie hat ja kein menschlich fühlendes Herz. Diese That ist seine Schuld. So stösst er Medea zurück aus dem Kreise, in den sie seinetwegen getreten ist, und das wird sein Verderben. Wie ganz anders als Corneille, der zuerst wegen neuer Liebe in erster Linie Jason untreu werden lässt, hat Klinger diese Liebe motiviert! Als dann das Unglück über ihn hereinbricht, hat er nur ohnmächtige Verwünschungen gegen Medea, aber er tötet sich nicht. Diesen Schluss des Corneilleschen Stückes hat Klinger aufgegeben. Weil Aphrodite Jasons neue Liebe bewirkt hat, so ist er nicht völlig schuld an seiner Untreue. Es ist Verhängnis, Götterschluss.

Kreon ist ein ernster und strenger Fürst, aber kein Tyrann. Seine Furcht vor Medea lässt ihn sie nicht durch thörichte Drohungen reizen; ängstlich, vorsichtig, gezwungen durch das Murren des Volkes und um Jasons willen bittet er sie eher als dass er ihr befiehlt zu gehen. Die Götter wollen es. Die Todesdrohung von seiner Seite, da sie ihn ja töten kann, ist mit Recht aufgegeben. Kreon wird nicht getötet. Sie überlässt ihn, wie Jason, den Eumeniden.

Kreusa wird nach Corneilles Vorgang zu einer Hauptperson erhoben. Aber sie ist keine eitle Närrin wie dort, sondern ein sanftes, gutes Mädchen. Die Liebe zu Jason ist ihre Schuld. Sie fürchtet Medea, möchte sterben für Jason und den Vater, damit diese nicht von der Rache getroffen werden, und fühlt doch auch Mitleid für die „stolze Unglückliche“, ohne dass sie selbst von ihrer Liebe lassen kann. Denn „gross ist die Macht der Göttin!“ — Klinger verschmäht die Sendung der Zaubergeschenke, die Corneille so lächerlich ausgebeutet hat. Kreusa sinkt leblos nieder, wie sie, mit dem neuvermählten Gatten aus dem Tempel der Aphrodite tretend, die Leichen der Kinder erblickt. (Beiläufig ist diese Hochzeit im Tempel der Aphrodite den antiken Gebräuchen vollkommen fremd, wie schon Schiller zu Soden bemerkt hat; Klingers Stück erwähnt er merkwürdigerweise gar nicht.) Klingers Kreusa erregt unser Mitleid, aber doch so, dass das Mitgefühl für Medea nicht zu sehr geschwächt wird. Sie verdient ihre Strafe, aber die Strafe selbst ist gemildert durch einen weniger grauenhaften Tod.

Die Kinder treten hier zuerst als handelnde Personen auf. Mermeros, der Ältere, ist wild und dem Vater ähnlich, Feretos, der Jüngere, ist sanft und gleicht dem Grossvater Aietes. Klinger hat Aietes offenbar in dem freundlichen Lichte der ältesten Sage vor Augen. Bei Gotter ist der Jüngere dem Vater ähnlich und wird deshalb zuerst getötet. Die Ähnlichkeit hat Klinger entlehnt, aber das andere Motiv aufgegeben. Die Kinder lieben die Mutter, aber sie fürchten sie auch. Zu Kreusa fühlen sie sich hingezogen als zu einer lieblichen Gespielin. Als Jason Medea die Trennung von den Kindern verkündet, da streiten die Eltern um die Liebe der Knaben: beide werben um sie, die Kinder können sich eine Wahl nicht denken. „Dein; und der Mutter auch!“ antworten sie auf Jasons Frage, ob sie denn nicht sein seien? Die Heftigkeit der Mutter erschreckt sie oft, aber sie hangen doch an ihr, und ihr letzter sterbender Ruf gilt der Mutter.

Hekate und die Eumeniden dienen dazu, Medeas dämonische Gewalt zu zeigen, die kleiner Zaubermittel und Beschwörungen nicht bedarf; Hekate wird auch die direkte Veranlasserin des Kindermordes. Auch sollen diese Gestalten jedenfalls dazu beitragen, dem Stücke einen antiken Geist zu geben, aber es ist in seinen Gedanken und Empfindungen trotzdem ganz modern. Klinger hat alle Personen auf eine höhere Stufe gehoben, Medea zu einem überirdischen Wesen, die andern zu edlen Menschen gemacht. Der Kernpunkt des Stückes ist die Liebe. Medea, durch ihre Liebe zu Jason menschlich geworden, vollzieht die That, um sich von der Menschheit zu lösen, die sie ausgestossen hat, und sich an Jason zu rächen, der schuld ist an der Ausstossung. Die Verwendung der Kinder ist ganz modern, unsern Empfindungen entsprechend. Hier hat jedenfalls die Arabellen-Scene aus „Miss Sarah Sampson“ eingewirkt. Modern ist die Bedeutung des goldenen Vliesses, von dessen Besitz des Reiches Glück abhängt (vgl. Rousseau), wenn Klinger diesen Gedanken auch nicht weiter verwertet.

Wenn nun Klinger alles Unheil, Medeas Liebe zu Jason, Jasons Liebe zu Kreusa und alles was daraus folgt, zur Rache der Aphrodite an den Kindern des Helios macht, so entzieht er die Handlung ganz dem echt menschlichen Boden der attischen Tragödie. So antik der Gedanke eines auf Generationen nachwirkenden Fluches an sich ist, so wenig antik ist eine solche Rache für ein solches Vergehen, für den Verrat der Liebe Aphroditens durch Helios.

Gleichwohl ist das Stück wirkungsvoll in der packenden Kraft des Gefühls, und ich stehe nicht an, es für vortrefflich zu erklären, wenn es auch nicht an Euripides hinanreicht. Allerdings zeigt sich der Dichter als ein Kind seiner Zeit und Litteraturströmung in der oft übertriebenen Sprache, die für unser Empfinden manchmal eher etwas ganz anderes als tragisch ist. Aber Klinger hat doch als selbständiger Dichter aus dem Stoffe etwas gemacht, und seine Neuerungen dürfen wenigstens vom modernen Standpunkte glücklich genannt werden.

Unbedeutend seinem ganzen Wesen nach ist der

Operntext zu Cherubinis Medea,

aber wegen seiner Beziehungen zu den Vorgängern und Nachfolgern darf er nicht übergangen werden. Der Text rührt her von dem französischen Dichter Nicolas Etienne Framery (1745—1810), wurde von Herklots ins Deutsche übersetzt und von Hermann Mendel neu revidiert. Die Oper erschien 1797.

Wie in der deutschen Oper von Gotter ist Jason hier zuerst allein mit den Kindern nach Korinth gekommen, sucht die Ehe mit Kreons Tochter, die hier Dirke heisst, und bittet den König, die Knaben gegen die Wut der Korinthier zu schützen, die sie wegen Medeas Unthaten töten wollen. Das älteste Motiv vom Kindermord durch die Korinthier wird also hier gestreift, aber übersehen, dass die Korinthier nach der alten Sage die Kinder aus Blutrache wegen der Vernichtung des korinthischen Königshauses umbringen. Dirke kann sich ihres Glückes nicht recht freuen, da sie fürchtet, Medea werde kommen und Rache nehmen. Und Medea erscheint. Es kommt zu einer Erkennungsscene.

Kreon: Wer bist du?

Medea: Ich? Medea!

Dirke (entsetzt): Medea! Ha! Medea! (sie fällt ohnmächtig zu Boden). Das Volk flieht, Medea stellt Jason und Kreon zur Rede. Alles was folgt, geht auf Seneca und dessen Nachahmer Corneille zurück, nur dass der Fussfall Medeas vor Jason

5

auf Klingers Einwirkung zu deuten scheint. Diese Demütigung fehlt bei den Früheren. Jason bleibt hart und ruft die Götter um Schutz an gegen die Flüche Medeas.

Als Hauptmotiv für die That gilt auch hier, dass die Kinder der Mutter geraubt werden, wenn auch etwas unvermittelt zu Anfang des zweiten Aktes:

> *Medea:* Kann ich es fassen, kann ich es tragen!
> Sie wagen's, der Mutter die Kinder zu rauben!
> Falschheit und Untreu' hätt' ich ertragen!
> Verbannung selbst wär' kleinerer Schmerz!
> Aber mich Arme fühlen zu lassen,
> Man lehre die Söhne die Mutter zu hassen,
> Dies grimmige Leiden zerreisst mein Herz!

(Beiläufig kann man daraus sehen, wie elend diese Verse sind.) Auch diese Wendung ist uns zuerst bei Klinger begegnet. Das Volk verlangt Medeas Tod. Kreon verbannt sie und gewährt ihr endlich Aufschub um einen Tag. Dies alles geht in der Ausführung auf Seneca zurück, vor allem Medeas Überlegung der Rache.

> Sie (Dirke) stirbt!
> Nein, tödlicher, grässlicher treffe der Streich!
> Ha! dass er Eltern, dass er Brüder hätte!
> Wie? hat er nicht Kinder?

Bei Seneca sagt Medea (V. 125):

> utinam esset illi frater: est conjunx: in hanc ferrum exigatur.

Darauf folgt die Bitte, dass die Kinder sie begleiten dürfen; dann Jasons Antwort:

> Eher will ich mein Blut und mein Leben,
> Als die geliebtesten Kinder dir geben!

Genau nach Seneca (V. 550):

> haec causa vitae est, hoc perusti pectoris
> curis levamen, spiritu citius queam
> carere membris luce.

Auch Corneille lässt ihn sagen:

> M'enlever mes enfants, c'est m'arracher le cœur.

Während nun Medea den Zweck ihrer Frage erreicht hat und fortfährt (bei Seite):

> Triumph! Er liebt sie noch!
> Nun weiss ich, was ich will! –

wie bei Seneca mit den Worten: sic gnatos amat? bene est, hat Corneille diesen Entschluss Medeas erst in die folgende Scene verlegt, da sie wieder mit Nerine allein ist. Zu ihr sagt sie:

Il aime ses enfants, ce courage inflexible;
Son faible est découvert; par eux il est sensible.

Das beweist, dass der Verfasser des Textes über Corneille hinaus auf Seneca zurückgegangen ist. Alles übrige stimmt auch mit den früheren Bearbeitungen überein. Die Vergiftung und Sendung des Kleides und Diadems, welche Klinger verschmäht hat, ist hier wieder aufgenommen. Der Hochzeitszug scheint Kenntnis Gotters zu verraten, welcher allein einen solchen über die Bühne ziehen lässt. Auch der letzte Akt bietet nichts Neues. Der Tod Dirkes und die Ermordung der Kinder wird hinter die Scene verlegt, wie in der ursprünglichen Fassung bei Euripides; so steht es auch mit dem Schluss.

Der ganze Text bietet also keine originelle Neuerung. Die Verwertung der Kinderscene fehlt. Andererseits ist das Stück eine Mischung der verschiedensten Bearbeitungen, oft nicht ungeschickt. Der Verfasser hat fast sämtliche älteren Stücke benützt von Euripides bis auf Klinger und hier und dort einen Zug oder eine Scene entlehnt. Ohne eigenes Talent vereinigte er, was er vorfand. Nur aus diesem Gesichtspunkt ist das Singspiel bemerkenswert. Sonderbar ist übrigens, dass hier Jason immer „Barbar" genannt wird im modernen Sinne des Wortes, und gerade von Medea, die keine Barbarin mehr ist, diese Benennung hören muss. Endlich darf nicht vergessen werden, dass bei dieser Oper der Text natürlich Nebensache war, dass nur die eigentliche Handlung zur Geltung kam, während die schlechten Verse von der prächtigen Musik schonend verhüllt wurden.

Julius, Graf von Soden.

Eine ziemlich verschollene litterarische Grösse, der Reichsgraf von Soden, ist der nächste Bearbeiter des Stoffes. Soden wurde 1754 in Anspach geboren, war später preussischer Regierungsrat und Minister bei den fränkischen Ständen und gründete 1802, nachdem er den Staatsdienst quittiert hatte, das Theater in Bamberg, später dasjenige in Würzburg. Gestorben ist er in Nürnberg 1831 (vgl. Goedekes Grundriss, 2. Aufl., Bd. V, 260). Als Dichter gehört er zu den letzten Ausläufern der sentimentalen Richtung. Goethe nennt ihn im „Neuen Alcinous" in den wenig schmeichelhaften Versen:

„Der nicht gerne Geld verschwendet,
Der Direktor Graf von Soden,
Schickt für jedes Stück mir vierzehn
Stämmchen aus dem besten Boden."
(Ausg. l. H. XLVII, 260.)

Es ist eine Anspielung auf den Geiz Sodens, bei dem Ch. A. Vulpius 1788 als Sekretär angestellt war. — Sodens zahlreiche Stücke erschienen zum grössten Teil gesammelt Aarau 1814—1819 in drei Bänden. Darunter befindet sich auch seine „Medea", 1814 zuerst gedruckt.

In der Vorrede zu seiner Medea sagt Soden:

„So wie wir Medea bisher dargestellt haben, konnte die Kindermörderin nur als eine rächende Furie, als ein Gegenstand des Abscheus und Entsetzens erscheinen. Nicht so zeigen sie uns die Mythen der Alten: Sie zeigen uns ein liebendes, leidenschaftliches, betrogenes, durch die Treulosigkeit ihres Geliebten zur höchsten Verzweiflung hingeschleudertes Weib, das wir eben deswegen nicht im Orkus, sondern im Elysium wiederfinden. So dargestellt, bewahrt ihr Charakter Wahrheit, Natur, Weiblichkeit, — so wird er ein tragischer Charakter." Soden unterscheidet zwischen den alten und den modernen Darstellungen. Bei den „Mythen der Alten" denkt er doch wohl an die Medea des Euripides, der zuerst den Mythus zur Tragödie umgestaltet hat. Er will also auf die griechische Medea zurückgehen. Bei Seneca ist ja die Heldin ganz Furie, und bei den Neueren trifft sein Vorwurf auch zu, mit Ausnahme Klingers, wo sie als übermenschliches Wesen erscheint. Was Soden den Mythen zuschreibt, ist eben die Erfindung des Euripides. Soden hat seine Vorgänger gekannt, die Franzosen und Gotter nennt er ausdrücklich. Er verspricht dann eine psychologisch richtige Herbeiführung der Katastrophe ohne Verletzung des ästhetischen Prinzips. Die Rolle der Medea ist eigens für die Schauspielerin Madame Hendel-Schütz (1772—1849) geschrieben. Soden hat auch den Chor nach Schillers Vorgang eingeführt, aber in dem Sinne einer „personifizierten Volksstimme". Die Chöre waren von dem Kapellmeister Röder in Würzburg in Musik gesetzt und sollen „mehrmals mit steigendem Beifall" gegeben worden sein. Sehen wir nun, wie Soden sein Versprechen, eine rein menschlich befriedigende Medea zu schaffen, gelöst hat.

Medea erhält durch Kepheus — so heisst hier der Pädagog — die Nachricht von Jasons Untreue, die sie schon prophetisch vorausgesehen hat. Dennoch will sie alles wissen, jede Liebkosung, jeden Blick, den Jason der Nebenbuhlerin gegönnt hat, um dann in Empörung zu geraten. Nachdem sie in einem Monolog ihren Schmerz ausgesprochen hat, entschliesst sie sich, mit den Kindern zu Jason zu gehen, um ihn so zu beschwören.

„Wir schlingen uns um dich.
Versuch es, dieses Zauberband zu lösen!"

Wie bei Klinger werden also die Kinder von Anfang an in den Mittelpunkt des Interesses gerückt; auch die Worte erinnern an diejenigen, die Medea bei Klinger an anderer Stelle spricht. Mit dem Entschluss, Jason durch die Kinder wiederzugewinnen, geht Medea ab.

Die folgende Scene führt Jason ein im Gespräch mit seinem Freunde Eumedon, einem der Argonauten. Wir lernen ihn gleich als einen traurigen Schwächling und brutalen Egoisten kennen. Die ganze Scene stammt aus dem Stücke Corneilles, samt dem Charakter der Personen. Eumedon ist der Pollux des französischen

Dichters. Neu ist nur, dass der ganze Schwarm der Argonauten mit nach Korinth gekommen ist, um noch weitere Fahrten (wohin?) zu unternehmen. Eumedon wendet sich von Jason ab:

„Leb wohl!
An Kreons Hofe siehst du mich nicht wieder!"

Jason fühlt seinen Mut gehoben dadurch, dass er nun ganz auf sich allein angewiesen ist. Kreon und Kreusa kommen dazu. Jason tröstet sich über den Verlust der Waffengefährten mit dem Besitz Kreusas. Alles ist zur Hochzeit bereitet, aber vorher muss Medea noch fort. Denn das Volk des Pelias bedroht Korinth um ihretwillen. Soden nimmt also dieses Motiv der Nötigung zur Verbannung aus Seneca wieder auf. Jason ist einverstanden, doch möge Medea nicht als Verbannte, sondern ehrenvoll ziehen, weil sie Jasons Gattin gewesen sei, und Kreon willigt ein. Als Königstochter möge sie ziehen, aber augenblicklich. Jason und dem König eine so seltsame Milderung der Verbannung in den Mund zu legen, das konnte auch nur einem deutschen Reichsgrafen aus der Restaurationszeit in den Sinn kommen. — Kreusa empfindet Mitleid mit Medea, wie bei Longepierre, auch bei Klinger, ohne dass sie indessen daran dächte, Jason zu gunsten der rechtmässigen Gemahlin aufzugeben. Kreon bleibt fest bei seinem Entschluss. Wie die früheren deutschen Bearbeiter des Stoffes, merkte Soden wohl den Widerspruch zwischen Medeas Macht und dem Verbannungsurteil. Klinger lässt Kreon deshalb sehr sanft und bescheiden auftreten; Soden nun verleiht dem Könige die Überzeugung, dass Medeas Macht, aus dem Orkus stammend, nur auf Böse Einfluss habe.

Während Kreon sich entfernt, unterhalten sich Jason und Kreusa. Die Prinzessin fühlt sich nicht wohl bei der Sache, sie weiss offenbar doch, dass sie im Unrecht ist. Darum beklagt sie Medeas Schicksal und lässt sich nicht trösten durch Jasons Einrede, Medea finde Trost genug in ihrer Zaubermacht, eine Einrede, die auch aus Klinger stammt, wo Jason zu Medea sagt: „Gross wie du bist, verlässt du nichts. Wir Sterbliche verlieren einen Teil von uns, wenn wir den verlassen, an dem wir hängen." Wenn nun Medeas Schicksal Kreusas Misstrauen erregt, ob der Geliebte denn nicht auch ihr untreu sein würde, so ist dieser Zug eine Entlehnung von Longepierre, der zweifellos zu den Franzosen gehört, welche Soden erwähnt. Wie dort schwört Jason bei der Rache der Götter, er werde Kreusa treu bleiben. Sie wendet ein:

„Schwurst du dies einst Medea nicht?"

Da tritt Medea, die sie belauscht hat, plötzlich hervor mit den Worten: „Er schwur's!" und Kreusa sinkt in Ohnmacht. Auf diesen wirkungsvollen Scenenschluss hat der Text zu Cherubinis Oper eingewirkt, wo Dirke-Kreusa auch beim ersten Anblick Medeas in Ohnmacht fällt. Soden hat also geschickt zwei verschiedene Scenen aus Longepierres Stück und der Oper zu verbinden gewusst. — Während Kreusa von Jason eilig weggebracht wird, bleibt Medea allein zurück, ruft die Götter der Unterwelt zur Rache herbei, lässt es Nacht werden, donnern und blitzen (wie bei Gotter am Schluss) und — sinkt endlich mit dem Rufe: „Mein Jason, ach! Medea liebt dich noch!" ebenfalls ohnmächtig nieder. Dieses Gewitter, welches mit einer Ohnmacht endet, ist lächerlich und abgeschmackt, weil die Haltung gar nicht für Medea passt. Aber die Scene mag der Madame Hendel-Schütz zu einer der Attituden Gelegenheit geboten haben, worin sie besonders gut gewesen sein soll. Der Chor schliesst den Akt mit einem Liede, dessen Thema, die Macht des Eros, an Euripides erinnert.

Zu Beginn des zweiten Aktes verkündet Kepheus Medea die Verbannung. Sie droht dagegen mit ihrer Macht, aber Kepheus rät ihr, friedlich zu scheiden. Sie will nicht, aber die Erinnerung an die Kinder rührt sie zu Thränen. Nun kommt Kreon selbst, um höflich Abschied zu nehmen. Da ist nichts mehr von der stolzen, trotzigwilden Medea der früheren Dichter zu verspüren, nichts von dem entschlossenen Ernste Kreons. Zwar bittet sie, wie bei Seneca, dass Jason sie begleite; zwar lehnt sie die Verantwortung für den Mord des Pelias wie bei jenem ab (illi Pelias, non nobis jacet); aber sie erniedrigt sich sogar zu einem Fussfall vor dem ängstlich-höflichen Kreon (bei Klinger kniet sie vor Jason), und erst als Kreon gar nicht hören will, sondern sich auf sein Volk, auf die Thessalier, auf die Götter beruft, droht sie mit ihrer Rache und geht trotzig fort. Kreon aber hat nun plötzlich sein Gottvertrauen verloren und jammert und klagt. Jason kommt mit Kreusa dazu und sucht Kreon zu trösten; ja er selbst verlangt, dass die Kinder nun bleiben sollen, nicht aus Liebe zu ihnen, sondern um ein Pfand, gleichsam Geiseln gegen Medeas Rache zu haben. Es ist dies ein Zug, den Soden in Nachahmung Longepierres (dort kommt direkt der Ausdruck ôtages vor) dem Charakter Jasons verleiht, ohne an die Abscheulichkeit zu denken, welche darin liegt. So erscheint der Held furchtsamer und erbärmlicher als irgendwo. — Kreon ahnt Unheil, wenn man Medea die Kinder entzieht, und selbst Kreusa schilt Jason grausam und beklagt Medeas Schicksal. Sie fühlt, dass ihre Liebe nicht schuldlos ist, aber sie kann von Jason nicht lassen; so bittet sie ihn, ja sie verlangt es von ihm, dass er von Medea freundlich Abschied nehme. Jason möchte lieber, dass ihn die Erde verschlinge, als dass er mit Medea sprechen solle, aber er muss Kreusa gehorchen. Der Chor singt von der Tiefe des menschlichen Gemütes.

Im dritten Akte bringt Kepheus seinem Herrn Botschaft, wie Medea Jasons Bitte um eine Unterredung aufgenommen hat. Sie habe geweint und sich über Jasons Sinnesänderung gefreut. Denn merkwürdigerweise hat die allwissende Zauberin nichts bemerkt von Jasons wahrer Gesinnung. Der Elende aber klagt:

„Den Reuigen erwartet sie an ihrer Brust,
Zum letzten Lebewohl kommt der Verräter."

Nun folgt das Gespräch zwischen den Gatten, hier also nicht von Jason freiwillig, noch von Medea, sondern von Kreusa veranlasst. Medea empfängt den

Treulosen liebevoll, er aber weicht aus, bleibt dabei, dass sie fliehen, er bleiben müsse. Sie hält ihm vor, was sie für ihn gethan habe (wie bei Seneca); sie beschwört ihn bei ihrer Liebe, er scheint gerührt, behauptet, sie noch zu lieben, aber ihre Macht zu fürchten (Klinger), und sucht endlich sich loszureissen. Zur rechten Zeit kommen die Kinder. Da wird er von Gefühlen überwältigt, hebt die Kinder empor und umarmt sie, und Medea spricht:

> „Wag's, dieses Band zu lösen!
> Du kannst, du wirst nicht wollen. Nein Geliebter!
> Mein bist du, und umschlungen wandeln einst
> Die sel'gen Schatten in Elysium."

Das überwältigt ihn. Er sinkt an Medeas Brust, die Kinder umschlingen beide, Jason ruft: „Geliebte, Gattin! Mutter! Kinder!" und Medea stammelt: „Wonne!" Da kommt Kreusa dazu, und Jason entflieht im erniedrigenden Bewusstsein seines doppelten Verrates. Diese Rührscene, abgesehen von der komödienhaften Überraschung, hat Soden bei Klinger vorgefunden. Dort sagt Medea: „Vermagst du zu trennen, was der innigste Ruf der Natur, das heiligste Gefühl zusammenknüpft! Wir alle sind eins, in eins gebunden!" Aber der Ausgang ist ein verschiedener. Klingers Jason behält sein Grauen vor Medea und bleibt fest bei seinem Entschluss. Bei Soden wird Jason gerührt, und nur Kreusas Erscheinung verscheucht ihn.

Medea bleibt mit Kreusa allein. Der Dialog zwischen den beiden Nebenbuhlerinnen ist auch zuerst von Klinger auf die Bühne gebracht worden. Bei ihm zwingt Medea die Königstochter, ihr Rede zu stehen; Soden lässt Kreusa freiwillig kommen, um zu sehen, ob Jason ihrem Wunsche gemäss freundlich Abschied nimmt, und um selbst Frieden und Versöhnung zu suchen. Gemeinsames Vorbild mag das Gespräch zwischen Sarah und Marwood sein. — Kreusa bittet die Nebenbuhlerin, sie möge ihr versöhnend die Hand reichen, aber Medea erklärt, sie könne sie nicht lieben, aber auch nicht hassen; sie warne sie vor Jason, auch Kreusa werde betrogen werden. Dann geht sie mit den bedeutungsvollen Worten ab: „Der Kinder Schicksal ruht in deiner Hand!" Kreusa bleibt bestürzt zurück. Da kommt Jason mit Bewaffneten, die er geholt hat, um Kreusa zu schützen — und vor wem? — vor Medea, der mächtigen Zauberin, vor seiner Gattin, mit der er sich unmittelbar vorher ausgesöhnt hat! Er findet Kreusa ganz zerknirscht, von Gewissensbissen gefoltert. Sie spricht von den Kindern, von dem Verbrechen ihrer Liebe und äussert die Absicht, Jason zu entsagen; denn sie will Medeas Rechte ehren. „Ich seh' dich in Elysium!" ruft sie schliesslich, in Thränen ausbrechend. Aber Jason schwört, er werde sich töten, wenn sie ihn verschmähe, und Medea habe dann auch keinen Nutzen von Kreusas Entsagung. Da schlägt Kreusas Stimmung um. Sie wirft sich an Jasons Brust und ruft: „Dein ist Kreusa, ewig, ewig dein!" Der Chor aber beklagt in einem Liede den Irrtum.

Am Anfang des vierten Aktes finden wir Medea in ihrer Zaubergrotte. Die ganze Beschwörungsscene geht auf Corneille und über diesen hinaus auf Seneca zurück. Dann verabschiedet sich Eumedon von Kreon. Man meint, er sei längst gegangen, und die Abschiedsscene ist deshalb ziemlich überraschend. Wie Corneilles Pollux spielt Eumedon den Warner und jagt auch wirklich Kreon Furcht ein, und als der König sich wieder auf sein Gottvertrauen beruft, macht ihn Eumedon darauf aufmerksam, dass er Jasons Mitschuldiger sei. Kreon zweifelt einen Augenblick, begiebt sich aber dann zu den Altären, wo die Hymenäen ertönen.

Nun tritt Medea wieder auf und äussert in einem ziemlich überflüssigen Monolog den Entschluss zur Rache, die sie an Jason vollziehen will:

> „Dein sei mein Schmerz; in deinem Busen glühe
> Die Hölle, wie in meinem.“

Da kommt Kepheus und fordert die Kinder von ihr. Trotzdem Jason längst entschlossen ist, Medea die Kinder zu entziehen (vgl. I. Akt), hat er in seinem Gespräch mit ihr kein Wort davon gesagt, und auch jetzt wagt er nicht einmal selbst, ihr den Entschluss mitzuteilen, sondern schickt den Diener. Medea gerät natürlich ausser sich, schwört, der Erdkreis solle eher zusammenstürzen, als dass sie die Kinder herausgebe, besinnt sich aber dann anders und will gehorchen, aber die Knaben selbst zu Kreusa bringen, sie Jason übergeben. Als Kepheus einwendet, dass eben jetzt der Hymenäus ertöne, der Moment also schlecht gewählt sei, da rast Medea wieder, fasst sich aber unter Thränen und übergiebt den Schleier an Kepheus als Geschenk für die Braut zum Zeichen, dass sie entsage und gehe. Die Sendung des Geschenkes ist also nicht übel motiviert. Aber Medea hat die Rache an Kreusa, die sie kurz vorher nicht zu hassen behauptet, also völlig vorbereitet, ehe man noch die Kinder von ihr fordert, ein seltsamer Zug bei ihrem sonst eher milden, ja thränenseligen Charakter.

Jason und Kreusa feiern die Hochzeitsceremonie auf einem offenen Platze vor dem Tempel. Eben setzt Jason der Braut den Kranz auf, als Kepheus kommt und seine Botschaft und den Schleier überbringt. Das Brautpaar ist beglückt, und Kreusa versteigt sich sogar zu dem Wunsche, Medea möchte sie an ihrem Schwesterherzen aufnehmen. „Denn Liebe, Liebe heischt dies kranke Herz!“ Sie ist dabei aber doch beglückt; denn nun presst auch kein fremdes Leid mehr ihre Brust. Als sie hört, dass auch die Kinder nun zu ihnen kommen sollen, ruft sie („an Jasons Halse“): „Wohl mir, Geliebter, ich bin Mutter!“ Dieses angemasste Mutterrecht, ihre grösste Schuld, drückt sie offenbar nicht. Der Hochzeitszug (wie bei Gotter und im Text zu Cherubini) zieht über die Bühne. Dann kommt Medea und hält natürlich wieder einen Monolog. Sie beklagt sich, dass die Götter die Meineidigen gewähren lassen, und triumphiert, weil Kreusa durch den Schleier umkommen werde. Dann bricht sie plötzlich wieder in Thränen aus, weil es ihr in den Sinn kommt, dass Kreusa ja eigentlich unschuldig ist. Da hört sie die Stimme des Priesters und ruft in ausbrechendem Zorne: „Fluch ihm! Fluch den Altären! Fluch! Fluch mir!“ — Der Chor singt von der Heiligkeit der Ehe und der Mutterliebe.

Den fünften Akt eröffnet wieder ein Monolog Medeas. Sie denkt daran, Jason zu töten, aber noch liebt sie ihn. So kommt ihr der Gedanke, ihn zu strafen, indem sie sich und ihm das Teuerste entreisst. Der Kindermord ist damit nicht deutlich ausgesprochen. Da kommt Kepheus mit den ahnungslosen Knaben. Medea lässt sie beiseite bringen und ringt wieder mit ihrem Vorsatz, bis Jason kommt, um die Kinder zu fordern. Nun klagt sie und droht und bittet ihn endlich kniefällig, wie bei Klinger. Jason bleibt hart. Da lässt sie die Kinder kommen. In der ganzen Scene folgt Soden seinem Vorgänger Klinger, wiederholt sich aber selbst, da er die Kinder ja schon in der Rührscene des dritten Aktes als Vermittler hat auftreten lassen. Neu ist nur, dass die Kinder auf Medeas ausdrücklichen Befehl wählen sollen zwischen Vater und Mutter. Als die Knaben von einem zum andern laufen, bei beiden bleiben wollen, da sie sich eine Wahl nicht denken können, ist Jason wieder gerührt und breitet schon die Arme nach Medea aus als das Gefolge meldet, Kreusa sterbe. Da stürzt Jason fort mit einer Verwünschung gegen Medea und mit dem Befehl an Kepheus, dass er ihm die Kinder bringe. — Medea ist es in dieser Scene offenbar nach des Dichters Meinung nur um die Kinder zu thun, dass sie diese mit sich nehmen und Jason durch die Verlassenheit bestrafen könne, ohne den Kindermord begehen zu müssen. Denn hoffte sie, Jason selbst durch Rührung zu gewinnen, das wäre doch gar zu absurd, in dem Augenblick, da sie weiss, dass Kreusa durch ihr Geschenk umkommt, so dass Jason sie ja nur viel mehr verabscheuen müsste. Jasons Weigerung soll dann das Motiv zur That geben. Aber wenn sie wirklich die Mutter ist, die mit so zärtlicher Liebe an ihren Kindern hängt, so ist ja die eigentliche Nötigung zum Morde gar nicht vorhanden, da sie mit Hülfe ihrer Zaubermacht doch samt den Knaben sich retten kann. Sie selbst hat ihm gesagt, leicht könnte sie durch ihre Macht ihm die Kinder entziehen, aber seinem Herzen wolle sie sie verdanken. Sie muss also die That nicht vollbringen, daran ändert auch die Nachricht von Kreusas Tod und dem Vollzug der halben Rache nichts. Ist Medea aber schon vorher zur vollen Rache entschlossen gewesen, wie man aus ihren früheren Worten entnehmen muss, so ist die ganze Rührscene erbärmliche Heuchelei. Nach des Dichters Absicht sollen wir die Sache offenbar so verstehen, dass Medea den Vollzug der ganzen Rache von Jasons Verhalten abhängig machen, dass sie die Kinder nicht töten will, wenn Jason ihr sie gutwillig überlässt, aber es als eine Nötigung zur That betrachtet, wenn er ihr sie verweigert. So soll sein Ausspruch massgebend sein und ihr Schicksal entscheiden. Darum behält sie die Kinder da und ruft: „Der Hekate sind sie geweiht!“

Die nächste Scene zeigt die sterbende Kreusa. Diese Geschmacklosigkeit des Corneille und Longepierre hat also Soden auch verwertet. Kreusa schildert jammernd ihre Schmerzen, schreit nach Jason und glaubt im Fieberwahn, Medea zu

6

erblicken. Als endlich Jason kommt, der sich indessen immer auf dem Wege zu ihr befunden und also ziemlich viel Zeit gebraucht hat, erkennt sie ihn noch und stirbt. Dem verzweifelnden und wütenden Jason meldet das Gefolge, dass auch der König sterbe. Jason ist in höchster Verzweiflung. Da erscheint Medea, und als er sie anfleht, wie bei Seneca, sie möge auch ihn töten, zeigt sie ihm die Kinder.

„Die Kinder forderst du zurück? Hier nimm sie!"

(Seneca: recipe jam gnatos, pater!) Auf Jasons Entsetzen und Abscheu fährt sie fort:

„Das Menschliche hab' ich geduldet; du
Hast zum Unmenschlichen, zum Ungeheuren
Gewaltsam mich gedrängt. Du bist ihr Mörder.
. . . .
Mein einziges Verbrechen ist die Liebe."

Jason will sich mit seinem Gefolge auf Medea stürzen, aber sie bannt ihn und seine Leute fest, indem sie zauberisch den Dolch schwingt (vgl. die Bannung des Theudas bei Corneille etc. Auch hier kommt das Kunststück viel zu spät). Der Drachenwagen entführt sie, und ihr letzter Ruf ist: „Medea liebt dich noch!" Die tragische Erhabenheit streift hier sehr nahe ans Lächerliche, um nicht zu sagen ans Abgeschmackte. Eine Liebeserklärung in diesem Augenblicke aus dem Munde des Weibes, das ihm die Kinder und die neue Braut gemordet, klingt wie blutiger Hohn, und doch sind die Worte durchaus ernst gemeint. Medea hat ihre That aus verletzter Liebe begangen, aber unmöglich kann sie den Mann noch lieben, nachdem sie ihn ihren Hass so grässlich hat empfinden lassen. Jason stürzt denn auch in Verzweiflung zur Erde. Soweit stimmt der Schluss ziemlich mit Seneca überein, abgesehen natürlich von der Liebeserklärung. Aber Soden brauchte auch noch eine „Versöhnung". Darum erscheint Eumedon, der also immer noch nicht abgereist ist, tröstet Jason, beredet ihn zu einem neuen Zuge, und der Held ist nach einer Pause des inneren Kampfes gerettet. Der Chor singt von der Grösse der Selbstbeherrschung.

Wenn ich dieses elende Stück, das der Dichter so verheissungsvoll ankündigt, ausführlich besprochen habe, so geschah es darum, weil Soden fast aus allen seinen Vorgängern einzelne Züge entlehnt hat und weil es nicht ohne Einfluss auf Grillparzer, dessen Stück wir noch zu betrachten haben, geblieben ist. Zu den Fehlern sei hier noch nachgetragen, dass Kreon Medea keinen Aufschub bewilligt hat, dass er die Hochzeit nicht stattfinden lassen will, ehe Medea fort ist; sie bleibt aber, Kreon macht keinen neuen Versuch zu ihrer Entfernung, lässt jedoch die Trauung geschehen.

Was Soden von seinem Eigenen dem Stoffe gegeben hat, ist eine sentimentale Verwässerung der Charaktere, vor allem Medeas, mit deren Sentimentalität diejenige Kreusas wetteifert. Dabei hat der Dichter übersehen, dass Medeas That desto unnatürlicher und unbegreiflicher wird, je menschlicher die Heldin selbst erscheint; ja dass seine Medea einer solchen That geradezu unfähig sein muss, trotz ihrer gelegentlichen Wutausbrüche.

Grillparzer.

Grillparzers Stück ist das modernste, das in den Rahmen unserer Betrachtung fällt; es ist auch abschliessend, da in Deutschland, so viel ich weiss, der Stoff seither nicht mehr dramatisch behandelt worden ist, auch wohl kaum nach diesem Meisterwerk — das bleibt das „Goldene Vliess“ trotz seiner Mängel — glücklicher behandelt werden könnte. Der Dichter hat die meisten, wenn nicht alle seine Vorgänger studiert. Jedenfalls wissen wir es von den Tragödien des Euripides und Seneca, von denen er sogar Bruchstücke übersetzt hat; sehr wahrscheinlich kannte er auch Klinger und Soden. Er allein hat die ganze Vorgeschichte mit in seinen Plan gezogen und den gewaltigen Stoff in eine Trilogie eingeteilt, nach dem Vorbilde des „Wallenstein“, doch so, dass das zweite Stück bloss vier Aufzüge umfasst und dass nicht ein Lustspiel, ein Schauspiel und ein Trauerspiel, sondern drei Tragödien aufeinanderfolgen, in denen die tragische Idee sich steigert, bis sie den Höhepunkt im letzten Stücke erreicht hat. Geschrieben wurde die Trilogie „Das goldene Vliess“ in den Jahren 1818 bis 1820. Jeder Teil hat seinen besonderen Titel: I. Der Gastfreund, II. Die Argonauten und III. Medea. Grillparzer hat die Mängel seiner Dichtung selbst sehr wohl erkannt, vor allem den Mangel an Übereinstimmung im Charakter Medeas. Grossen Pausen in der Zeit der Produktion schrieb er hauptsächlich die Schuld zu. Was den „Mangel an Griechheit“ in der ersten Hälfte betrifft, so liess er in einem der drei Entwürfe zu einer Vorrede seine künftigen Kritiker hart genug an. Sie sollten lieber nach seinen Gründen suchen, statt seine Unwissenheit zu tadeln, „die doch wahrlich nicht gering sein müsste, wenn sie die ihrige noch überträfe“.

1. **Der Gastfreund.** Medea, die Tochter des Königs Aietes von Kolchis, ist Priesterin der Artemis, die bei dem barbarischen Volke der Kolcher als Darimba verehrt wird. Dem Wesen ihrer Göttin entsprechend liebt die Jungfrau die Jagd, hegt männlichen Sinn, ist aber den Männern feindlich, also eine Art Amazone. Darum verstösst sie ihre Freundin Peritta, die einen Hirten lieb gewonnen hat. Wir finden Medea, wie sie sich mit ihren Gespielinnen zur Jagd anschickt, als die Ankunft von Fremden gemeldet wird. Aietes will seine Tochter nicht auf die Jagd ziehen lassen; sie soll ihm vielmehr beistehen gegen die Fremden mit ihrer Zauberkunst, die sie von ihrer Mutter Hekate ererbt hat. Medea aber hat keine Lust dazu und will ihn nicht verstehen. Indessen kommen die Fremden und bitten um Gehör. Aietes ist lüstern nach den Schätzen, welche sie mit sich führen, und sinnt auf Mittel, seine arglos vertrauenden Gäste zu vernichten. Zu diesem Zwecke verlangt er von Medea einen einschläfernden Trank, aber sie zeigt sich störrisch. Nun kommt Phrixus, der Führer der Fremden. Er trägt an seiner Lanze das goldene Vliess und weiht es Peronto, dem Gott der Kolcher, in dem er den Göttlichen

wieder zu erkennen glaubt, welcher ihn zu dieser Fahrt veranlasst hat. Als er einst in Delphi schlief, ist ihm der Gott im Traume erschienen und hat ihm das Vliess übergeben, ihm Sieg und Rache damit verheissend. Erwacht, hat er die Bildsäule des Gottes erblickt, sie des goldenen Widdermantels entkleidet und sich aufgemacht nach Kolchis — dieser Name stand auf dem Sockel der Bildsäule — und hat sich so gerettet vor seines Vaters Hass und dem Neide seiner Stiefmutter. Nun bittet er um Land in Kolchis, sich daselbst niederzulassen. Aietes antwortet ausweichend mit zweideutigen Reden und lässt durch Medea Phrixus das Schwert abfordern. Er überreicht es ihr zutrauensvoll. Die Fremden gehen zum Mahle. Aietes bleibt mit Medea zurück, aber wagt nicht, ihr sofort seine Absicht zu sagen, sondern möchte zuerst ihre Meinung wissen.

Aietes: Was denkst du?

Medea: Ich? Nichts!

(Das ist vielleicht eine Reminiscenz an Klinger, wo Medea sagt: Nichts denk' ich. Ein starres grauses Nichts etc., freilich in ganz anderem Zusammenhang.) Als dann Aietes den Entschluss zum Morde äussert, zeigt sie Schrecken und Abscheu vor der That. Der Verrat wird geübt. Phrixus hat indessen im Hause gefährliche Dinge wahrgenommen und will nach seinem Schiff entfliehen, wird aber verfolgt. Als Aietes naht, übergiebt Phrixus ihm das Vliess, der Götter Zorn über ihn beschwörend, wenn er es nicht unbeschädigt ihm, dem Unbeschädigten, zurückgebe. Medea hat dem ganzen Auftritt beigewohnt und muss sich von Phrixus vorwerfen lassen, dass sie ihm verräterisch sein Schwert, seine letzte Waffe, abgelockt. Sie will ihm ein anderes Schwert geben, aber Aietes drängt sie zurück. Der König ist wütend, dass die List des Griechen ihn an seinem Vorhaben hindert. Er will Phrixus das Vliess zurückgeben, läuft ihm damit nach und dringt es ihm auf. Als Phrixus sich weigert, stösst er ihn im Zorne nieder. Da stirbt der Fremde mit Fluch und Verwünschung auf den Lippen. Aietes selbst ist starr über seine That; ja er sucht noch dem Toten das Vliess aufzudringen. Medea eilt ab mit einem Weheruf über ihres Vaters That.

Soweit das erste Stück. Grillparzer hat die alte Sage frei umgestaltet, wie es seinem Plane dienlich war. So lässt er den Phrixus nicht auf dem goldenen Widder über den Hellespont kommen, sondern zu Schiff mit dem Vliess als Panier. Das Märchenhafte wird auf eine historisch glaubwürdigere Grundlage zurückgeführt. Seine Erfindung ist auch die Ermordung des Phrixus und der darangeknüpfte Fluch. Die Sage weiss davon nichts, sie berichtet vielmehr, Phrixus sei von Aietes freundlich aufgenommen worden und habe sich mit dessen Tochter Chalkiope vermählt. Die ganze Grundlage ist aber dadurch verändert. Das Vliess wird im Sinne der Schicksalstragödie zu einem Gegenstand, an den Fluch und Verderben geknüpft ist. Andeutungsweise ist dies schon in Rousseaus „Jason“ und bei Klinger der Fall. Möglich ist es, dass Grillparzer die Anregung dorther erhalten hat. Völlig verwertet hat er diesen Zug allein. Was die Ausführung betrifft, so ist die Barbarei der Kolcher durch ihre Sprache gekennzeichnet. Ich habe diesen Teil der Trilogie nie auf der Bühne gesehen, aber es scheint mir, dass die Scene, da Aietes dem Phrixus das Vliess aufdringen will, wenn nicht sehr gut gespielt wird, nichts weniger als tragisch wirken müsse.

II. **Die Argonauten.** Medea lebt seit dem Tode des Phrixus in einem einsamen Turme, wo sie Zaubertränke braut, den Mord an dem Gastfreund beklagt und das Unheil fürchtet, das ihrem Hause seither droht. Dort suchen Aietes und sein Sohn Absyrtus sie auf; denn Fremde sind angekommen, welche den Tod des Phrixus rächen und das Vliess holen wollen. Aietes ruft Medea heraus. Nur unwillig gehorcht sie; denn seit ihr Vater den Fremden erschlagen, hat sie sein Haus gemieden. Aietes bittet sie um Beistand gegen die Fremden, und sie rät ihm, das Vliess zurückzugeben, aber er will es behalten als Pfand des göttlichen Schutzes. Endlich verspricht sie ihm Hülfe, wenn er sie künftig in Ruhe lassen wolle. So geht sie in den Turm zur Beschwörung. Da naht sich Jason, der in dem fremden Lande Leute und Nahrung für seine Gefährten sucht, dem einsamen Turme, von welchem er durch einen Meeresarm getrennt ist. Als er das Licht herüberschimmern sieht, stürzt er sich, trotzdem sein Freund Milo ihn vor dem Unterfangen warnt, ins Wasser und schwimmt hinüber. So gelangt er in das Gewölbe im Turm, belauscht Medea bei ihren Beschwörungen, stürzt hervor, verwundet sie am Arme und sieht sie nun erst in ihrer eigentümlichen Schönheit, die ihn so überrascht, dass er sich ihr Wesen und ihre schrecklichen Sprüche von vorhin nicht erklären kann. Da wird er von den Kolchern aufgeschreckt, aber er schlägt sich durch, nachdem er noch Zeit gefunden, Medea zu küssen zum Pfande des Wiedersehens und zum Dank dafür, dass sie gegen den anstürmenden Absyrtus abwehrend die Hand erhoben hat. So eilt er ab, vergessend, was er eigentlich gewollt hat, und Medea bleibt zurück von neuen Gefühlen durchbebt.

Wir finden Medea wieder im Kreise ihrer Gespielinnen, aber sie, die sonst so heftig und wild gewesen, ist merkwürdig verwandelt und sanft, so dass sie nicht einmal zürnt über den Verlust ihres Lieblingspferdes und milde Worte findet für Peritta. Der Grund liegt in dem Ereignis der letzten Nacht. Medea glaubt, ein Gott sei es gewesen, der ihr in der Nacht erschienen, Heimdar, der Todesgott. Sie will es der dämonischen Gora, ihrer Amme, die allein zornig ist über Medeas Milde, nicht glauben, dass ein Mensch sich solcher That erkühnt habe. Als sie nun von Aietes und Absyrtus vernehmen muss, dass es doch ein Mensch gewesen ist, ein Grieche, da erwacht in ihr der herbe, jungfräuliche Stolz und Hass, und sie verspricht dem Könige ihre Hülfe gegen die Fremden. Die Argonauten kommen zur Unterredung mit dem Fürsten, aber Jason ist noch nicht zurückgekehrt, und deshalb macht einer den Vorschlag, sie wollten zurückfahren, da die ganze Unternehmung ohne den Führer, der sie auf seines Oheims Gebot gewagt hat, zwecklos sei. Schon stimmen ihm die andern bei, als Jason kommt. Die Stimmung ändert sich. Jason verlangt in der Unterredung mit Aietes die Herausgabe der Schätze des Phrixus, und als Aietes sich trotzig weigert, droht Jason. Da lenkt der listige Barbar ein und fordert die Griechen auf zu Trunk und Gastmahl. Medea soll Jason den verhängnisvollen Trank reichen, und schon ist Jason im Begriff zu trinken, als ihm die verschleierte Jungfrau einen Wink giebt. Da schleudert er den Becher weg und reisst der Trägerin den Schleier vom Gesicht, um seine Retterin zu sehen. Aber rauh ist ihr Wort. Sie eilt in das Zelt. Jason will ihr nachstürzen, aber Aietes vertritt ihm den Weg.

Medea steht befatmend im Zelte unter ihren Jungfrauen und lauscht bebend auf Jasons Stimme. Als der Held mit Gewalt eingedrungen ist, da flieht sie vor ihm. Jason wird weggedrängt. Als nun Aietes seine Tochter mit Vorwürfen überschüttet, bittet sie ihn selbst, die Fremden gleich zu überfallen und zu vertreiben. Aietes traut ihr nicht recht und verlangt, sie solle selbst dabei behülflich sein, während sie in die Einsamkeit zurückzukehren wünscht, dort um den Sieg zu beten, bis die Feinde das Land verlassen haben; denn sie ist ihrer selbst nicht ganz sicher, ja sie lässt den Vater vermuten, dass sie Jason liebe. Töten möge er den Fremden, den Toten wolle sie schauen, den Lebenden nicht mehr. Da willigt Aietes ein, dass sie sich zurückziehe; aber das goldene Vliess soll sie ihm bewachen mit ihren Zauberkünsten. Absyrtus wird sie hingeleiten auf heimlichem Pfad über die Brücke in der Schlucht.

Die Argonauten lagern im Walde an dem einzigen Weg, der ins Innere führt ausser jenem, dessen Brücke der Sturm in der letzten Nacht fortgerissen hat. Jason gesteht seinem Freunde Milo, dass er Medea liebe. Absyrtus naht mit Medea, da er diesen Weg einschlagen muss, und gerät so in den Hinterhalt der Griechen. So fällt Medea in die Hände Jasons, den sie lebend nicht wiedersehen wollte, und dringt mit einer Lanze auf ihn ein, rufend: „Stirb oder töte!“ Als er ihr die Lanze aus der Hand schlägt, da zieht sie einen Dolch, aber nun Jason sich ihr wehrlos darbietet mit den Worten: „Töte mich, wenn du kannst!“, da kann sie es nicht, die letzte Kraft ihrer Wildheit erlahmt, und er schliesst die Überwundene in die Arme. Aber bei all seinem Liebeswerben bleibt sie stumm, wie er sie auch bestürmt. (Hier ist die schöne Stelle, die ihrem Gehalt nach auf Platons Symposion zurückgeht, von der geteilten Seele.) Die Scene ist bedeutsam für Jasons Charakter:

„Ich selber bin mir Gegenstand geworden,
Ein andrer denkt in mir, ein andrer handelt.“

Sein Wesen ist gespalten: es ringt in ihm der Jüngling, der den natürlichen Impulsen folgt, mit dem Manne, der sich nur von kühler Überlegung leiten lässt, aber da ist noch keine Klarheit. Darum wechselt auch sein Benehmen gegen Medea zwischen liebender, schmeichelnder Hingebung und Gewalt, ja Brutalität.

Da kommt Aietes und fordert drohend sein Kind. Jason führt ihm sie selbst zu, aber dem Könige bietet er den Todeskampf an; denn die Bande der Liebe sind zerrissen. Dann nimmt er noch in wehmütigen Worten von Medea Abschied und will gehen. Da ruft sie seinen Namen, und Jason reisst sie an sich und schleudert Aietes' Hand mit den Worten zurück: „Wagst du's, Barbar? Sie ist mein Weib!“ Noch schweigt Medea, aber als Aietes auf Jason eindringt, wirft sie sich zwischen beide:

„Vater töt' ihn nicht! ich lieb' ihn!“

Erst die Gefahr entlockt ihr das Geständnis. Sie will vermitteln; Aietes soll Jason aufnehmen und das Reich mit ihm teilen. Natürlich verwirft der König diesen Vorschlag und fordert sie nur immer heftiger auf, ihm zu folgen. Ja er will sie töten, aber Jason und Absyrtus treten dazwischen. Da spricht der Vater den grässlichen Fluch über sie aus.

„Nicht sterben soll sie, leben,
Leben in Schmach und Schande, verstossen, verflucht,
Ohne Vater, ohne Heimat, ohne Götter!“

Dann prophezeit er ihr ihr künftiges Schicksal und verlässt sie. Medea aber bleibt bei Jason zurück in Angst und Zweifel. Sofort muss sie erfahren, dass es dem Geliebten nicht nur um sie zu thun ist; denn er verlangt, sie solle ihm das Vliess zeigen, und bleibt dabei, wie flehentlich sie ihn auch abmahnt.

„Unheil bringt es, hat es gebracht!
. . . .
In vorahnender Traume dämmerndem Licht
Haben mir's die Götter gezeigt,
Gebreitet über Leichen,
Bespritzt mit Blut,
Meinem Blut!“

Er lässt sich nicht von seinem Entschluss abbringen. Da giebt sie endlich nach, aber seinen egoistischen Sinn hat sie jetzt schon erkannt und wehrt darum seine Umarmung ab: „Die Liebkosung lass', ich habe sie erkannt! O Vater! Vater!“

So führt Medea Jason in die Höhle des Drachen, der das Vliess bewacht. Der Held kann jetzt eine gewisse Furcht nicht unterdrücken, während Medea ganz ruhig scheint. Er bezwingt sich und tritt vor die Thüre. Nochmals rät Medea ihm ab. (Diese Abmahnungen Medeas finden sich auch in Rousseaus „Jason“.) Ja sie droht sogar, sich selbst zu töten, wenn er noch weitergehe, aber auch das kann ihn nicht zurückhalten, so viel mächtiger ist sein Ehrgeiz als seine Liebe. Da reicht ihm Medea den Becher mit dem Zaubertrank, um den Drachen zu locken. Jason sprengt die Pforte, aber als die Schlange sich gegen ihn aufbäumt, da fährt er mit einem Schreckensruf zurück, während Medea ihn aufmuntert mit Worten, in denen sich Hohn und Liebe seltsam mischen. Schlange nennt sie ihn selbst. Endlich tritt er ein, und die Pforten schliessen sich hinter ihm. Nichts hört man mehr, aber Medea jammert um den Bräutigam und reisst endlich die Thorflügel auf. Da wankt

Jason heraus, das Vliess auf der Lanze tragend, seltsam verwirrt, und erzählt mit Schaudern, was in der Höhle geschehen. Das Gefühl des Fluches ist auf ihn übergegangen, sobald er das Vliess berührt hat.

Die Argonauten sind zur Abfahrt bereit und warten nur noch auf Jason. Gora wird von zwei Griechen aufgefangen und auf Milos Befehl dabehalten als Begleiterin für Medea. Nicht Medea zwingt sie also mitzukommen. Da öffnet sich eine Fallthüre im Boden, und Jason und Medea steigen herauf. Jason hüllt das Vliess, das er nur mit Entsetzen betrachten kann, in einen Mantel und treibt zur Abfahrt. Da eilt Absyrtus herbei an der Spitze der Kolcher, ruft Medea und fragt sie, ob es denn wahr sei, dass sie fort wolle mit dem Fremden. Medea weint an seinem Halse, und Absyrtus sucht sie zu trösten. Noch sei ja nichts geschehen, noch hätten die Fremden das Vliess nicht gefunden. Da weist ihm Jason das Banner, und Absyrtus flucht seiner Schwester und verlangt von dem Griechen das Vliess, die Schwester möge er behalten. Jason hat nur Spott zur Antwort, und als Absyrtus es dringender verlangt, es ihm zu entreissen versucht, da haut ihn Jason nieder, dass er betäubt zu Boden stürzt. Während Medea den Bruder zu schützen sucht, nahen die Kolcher in grosser Zahl, geführt von Aietes, der jammernd nach seinem Sohne verlangt. Aber Jason will den Jüngling auf Milos Rat als Geisel behalten. Aietes dringt vor, Absyrtus sucht sich vergeblich zu befreien, reisst sich endlich los und stürzt sich, da er nicht zu seinem Vater durchdringen kann, ins Meer, um frei zu sterben. Jason lehnt die Verantwortung von sich ab, und als Aietes rast und Rache schreit, da zeigt ihm Jason das Vliess. Das Blut des Phrixus klebt noch daran, Absyrtus ist zur Sühne für jenen gefallen; Jason nennt sich das Werkzeug höherer Gewalt. Aietes taumelt beim Anblick des Vliesses zurück und stürzt im Bewusstsein seiner Schuld betäubt zu Boden. Die Argonauten segeln ab.

Auch in diesem Stücke weicht Grillparzer von der antiken Sage ab, während die früheren Bearbeiter, soweit sie die Vorgeschichte beigezogen haben, daran festhalten. In der griechischen Sage muss Jason bekanntlich drei Aufgaben lösen, die ihm Aietes stellt: er muss mit feuerspeienden, erzhufigen Stieren ein Stück Land umackern, in die Furchen Drachenzähne säen und die daraus hervorgewachsenen Riesen bekämpfen und endlich den Drachen töten. Den Kampf oder vielmehr die Überlistung der Drachen, zwar nicht als Aufgabe von Aietes, sondern überhaupt als Mittel zur Gewinnung des Vliesses, hat Grillparzer in ziemlicher Übereinstimmung mit der Sage beibehalten, die beiden andern Aufgaben aber fallen lassen. Der Grund ist jedenfalls nicht in technischen Schwierigkeiten zu suchen. Er hätte ja die beiden ersten Aufgaben in epischer Weise einflechten können. Aber es lag ihm daran, alles menschlicher und glaubwürdiger zu gestalten, darum hat er alles Überflüssige an wunderbaren Ereignissen beiseite gelassen. Etwas Wunderbares durfte und musste auch bleiben, wenn nicht der wesentlich mythologische Stoff völlig aufgelöst werden sollte, und zudem müssen wir ja glauben, dass Medea keine gewöhnliche Frau ist, sondern Zaubermacht besitzt und wunderbare Dinge ausführen kann,

Aber das Hauptgewicht liegt auf dem Charakter Medeas, auf dem Problem, wie sie aus der liebenden Jungfrau zur Rachefurie und zur Mörderin der eigenen Kinder wird. Auch die Greuel der alten Sage sind hier gemildert. Während dort Medea den Absyrtus zerstückelt, um Aietes bei der Verfolgung durch das Sammeln der Überreste aufzuhalten, tötet sich hier Absyrtus selbst. Zwei Stadien der Entwicklung Medeas sind in der ersten Hälfte der Dichtung uns vorgeführt worden: die unbändige Jungfrau und das liebende Weib. Das dritte Stadium, die betrogene Gattin und unglückliche Mutter, bildet natürlich den Höhepunkt, und so ist das letzte Stück der Trilogie, mit dem wir den Boden der früheren Bearbeitungen wieder betreten, das wichtigste.

III. **Medea.** Medea ist vor den Thoren Korinths damit beschäftigt, ihre Zaubermittel, den Stab und Schleier der Göttin, das Gefäss, welches geheime Flammen birgt, alles samt dem Vliess in der Erde zu vergraben. Eine solche Beseitigung der Zaubermittel haben wir schon bei Seneca (V. 680 f.) angedeutet gefunden. Dass das Vliess mit nach Korinth genommen wird, ist Grillparzers Erfindung, die Früheren wissen davon nichts, aber es entspricht der Bedeutung, die der Dichter dem Palladium gegeben hat. Gora, hier die hasserfüllte Kolcherin, tritt zu Medea, die gerne vergeben und vergessen möchte, und tadelt ihr Unterfangen, wodurch sie sich selbst des Schutzes beraube. Sie macht ihrer Herrin leidenschaftlich heftige Vorwürfe. Ob sie denn auch die Erinnerung an Vater und Bruder und ihr Elend an der Seite des verräterischen Gatten begraben könne? Gora will reden, Medea muss sie hören; denn sie habe sie hergelockt in dieses ferne Land, so behauptet sie im Widerspruch mit der Vorgeschichte. Fluch und Abscheu hat sie alle verfolgt, seit sie in Griechenland sind. Jason ist um ihretwillen ebenfalls gemieden worden. Jetzt sind sie gar noch aus Jolkos verbannt. Medea will dem Gatten folgen in Not und Tod:

„Lass uns die Götter bitten um ein einfach Herz.“

Diese Resignation Medeas ist neu. Grillparzer will sie uns vorführen nicht als die dämonische Gattin Jasons, sondern als ein unglückliches, fast gebrochenes Weib, das sein letztes Gut, die Liebe des Gatten, um jeden Preis festhalten möchte. — Gora hält ihr vor, ob denn Jason derselbe geblieben sei? Er scheut, flieht, hasst, ja verrät sie. Medea will nichts von Anklagen gegen Jason wissen. Sie ist vielmehr entschlossen, des fremden Landes Sitten anzunehmen und ihre geheimnisvolle Wissenschaft abzulegen. Ist sie selbst nur ein hülfebedürftiges Weib, dann wird auch Jason seine Scheu vor ihr wieder ablegen und ihr wieder ein rechter Gatte sein. — Schon Klinger lässt Jason Grauen empfinden vor seiner Gattin, aber Grillparzer erweitert dieses Motiv dadurch, dass Medea mit ihrem bisherigen Leben brechen will, um Jasons Liebe wiederzugewinnen.

Jason kommt und berichtet, er habe, ohne seinen Namen zu nennen, den König um Unterkunft für einen Flüchtling bitten lassen. Die Aufnahme ist also hier nicht, wie bei allen früheren Bearbeitern, schon erfolgt. — Medea naht sich dem Gatten demütig und unterwürfig, aber er kann seine Abneigung nicht ganz verhehlen, sie giebt sich kund in seinen Worten: er beklagt sich, dass man ihm den Tod des Pelias schuld gebe — der Mord erscheint nicht als Medeas und Jasons Werk — und verlangt in harten Worten, dass sie ihre Zauberkünste aufgebe, sich als Griechin kleide und darum den roten Schleier ablege, welcher ihn an Kolchis erinnert. Demütig eifrig kommt sie seinem Wunsche nach. — Mit diesem Schleier hat es eine eigene Bewandtnis. Wenn dabei auch nicht an den Schleier zu denken ist, den Medea mit dem Stab der Göttin eben vergraben hat, so bleibt es doch sonderbar, dass sie wieder einen kolchischen Schleier trägt, da Jason ihr diesen schon in Kolchis entrissen hat, damit sie mit freiwallendem Haar um die offene Stirn als seine Braut erscheine. — Jasons Blick fällt auf Gora, und all sein Hass bricht heftig los. Sie solle ihm aus den Augen gehen. Medea führt die trotzige Gora fort und bringt dann die Kinder herbei. Aber die Knaben scheuen den Vater — wieder ein bedeutender neuer Zug —, Gora hat sie wild gemacht. Das Benehmen der Knaben reizt noch Jasons Schmerz und Zorn, aber er bezwingt sich und ruft Medea, um mit ihr zu sprechen. Als Mitleid äussert sich bisweilen noch seine ehemalige Liebe. Mehr der Hohn und Abscheu der Griechen, als Medeas eigenes Wesen (wie bei Klinger) hat ihr Jasons Herz entfremdet. Er spricht die Befürchtung aus, dass Kreon wohl ihn und die Kinder, nicht aber Medea aufnehmen werde. Sie ist erschüttert.

> Ich weiss genug!
> Das war es, was mein Vater sagte!
> Ich dir zur Qual, du mir. — Doch weich' ich nicht!
> Von allem, was ich war, was ich besass,
> Es ist ein Einziges mir nur geblieben,
> Und bis zum Tode bleib' ich es: Dein Weib.

Nun naht Kreon mit seiner Tochter. Kreusa erkennt in Jason sofort ihren ehemaligen Jugendgespielen und tritt gleich fürbittend für ihn ein. Jason wirft sich dem Könige zu Füssen und fleht um seinen Schutz. Kreon forscht nach dem Verbleib des Vliesses — Jason weiss nicht, dass Medea es aufgenommen hat — und dann nach der Schuld oder Unschuld am Tode des Pelias. Er glaubt den Unschuldsbeteuerungen des Verbannten, und Kreusa freut sich, dass das Gerücht Unwahres nur gemeldet hat. Zu diesen Erfindungen des Volksmundes rechnet sie auch die Nachricht von Jasons barbarischem Weibe.

> Wie hiess sie? — Ein Barbaren-Name war's.

Da tritt Medea mit den Kindern hervor und giebt die Antwort: „Medea! Ich bin's!" König: „Ist sie's?" Jason (dumpf): „Sie ist's!" Kreusa (sich an den Vater drängend): „Entsetzen!" — Auf diese Begegnung hat unverkennbar der Text zu Cherubinis Medea und die entsprechende Scene bei Soden eingewirkt. — Die Kinder nahen sich mit Zweigen in den Händen, schutzflehend, und werden mitleidig aufgenommen, besonders von Kreusa, zu der sie sich hingezogen fühlen. Medea wird eifersüchtig und ruft die Knaben zu sich, aber sie folgen dem Rufe nur ungern; denn sie scheuen die Mutter, wenn sie sie auch lieben (wie bei Klinger).

Kreon entscheidet sich endlich und gewährt Jason seinen Schutz, aber ausdrücklich nennt er nur seinen Namen. Sie schicken sich an, zum Tempel zu gehen, um den Bund zu beschwören. Medea bleibt zurück. Da wendet sich Kreusa sanft zu ihr — sie ist mitleidig wie bei Seneca — und rührt durch ihre Freundlichkeit die Kolcherin, so dass sie Kreusa bittet, sie möge sie lehren, wie sie Jason gefallen könne. Auf Kreusas dringende Fürbitte hin erlaubt Kreon, dass Medea mitkomme, aber diese traut Kreon nicht recht. Als sie gegangen sind, spricht der König sein Befremden aus gegen Jason, dass er ein solches Weib habe, und Jason findet so Gelegenheit, zu erzählen, wie alles gekommen ist, wie viel sie für ihn gethan, wie sie ihn geliebt habe, wie er dazu veranlasst worden sei, sie zu lieben.

„Dass sie's verschwieg, das eben reizte mich, —
Und wie ein Abenteuer trieb ich meine Liebe."

Sie hat ihm das Vliess erringen helfen, aber ihm graut vor ihr (Klinger) und „nur mit Schaudern" nennt er sie sein Weib. Ihr Vater und ihr Bruder sind tot, und auf der langen Irrfahrt ist es geschehen:

„In Schiffes Enge stündlich ihr gegenüber
Brach sich der Stachel ab des ersten Schauders;
Gescheh'n war, was gescheh'n — sie ward mein Weib."

Ist das nun Selbsttäuschung Jasons? Die Vorgeschichte weiss nichts von diesem Schauder. Da ist Jason der dringende Liebhaber. Als er mit ihr nach Griechenland gekommen ist, erwartend, dass das Volk ihn jubelnd empfange, da hat man ihn gemieden und sein Weib verachtet und ihn in ihr. Pelias hat von ihm verlangt, er solle Medea fortsenden, wenn er Anspruch auf sein Erbe erhebe. Jason hat es nicht gewollt. Dann ist Pelias unter geheimnisvollen Umständen gestorben. Medea sei nicht bei Pelias gewesen, Jason habe es ihr untersagt. Das Volk hat Jason des Mordes beschuldigt und ihn zur Flucht gezwungen. Mit der Versicherung, dass er ganz verloren sei, wenn Kreon ihn nicht aufnehme, schliesst er. Kreon will ihm Schutz gewähren, aber ihr — — —

„Du nimmst uns beide oder keinen, Herr!
Mein Leben wär' erneut, wüsst' ich sie fort.
Doch muss ich schützen, was sich mir vertraut."

So will er sein Weib nicht preisgeben, wenn es auch nicht Liebe, sondern bloss Pflichtgefühl ist, was ihn dazu bestimmt. Der König fürchtet Medeas Macht, aber als Jason wenigstens um einen Versuch bittet, da willigt er ein, wenn auch ungern und mit dem Vorbehalt, beim ersten Anlass, den ihm Medea gebe, sie zu verbannen. Ein neuer Altar für Zeus soll das Zeichen des Gastrechtes sein.

Zu Beginn des zweiten Aktes finden wir Medea und Kreusa in freundlichem Gespräch. Nur Klinger und Soden von den Früheren haben die beiden Nebenbuhlerinnen in Beziehung gebracht, in eigentlich freundliche nur Soden, der wohl hier eingewirkt hat. Medea will von Kreusa die Leier spielen lernen, um Jason eine Freude zu bereiten, aber die Kunst will ihr nicht gelingen. Im Gespräch äussert sie über Jason:

„Nur Er ist da, Er in der weiten Welt,
Und alles andre nichts als Stoff zu Thaten.
Voll Selbstheit, nicht des Nutzens, ach! des Sinns
Spielt er mit seinem und der andern Glück:
Lockt's ihn nach Ruhm, so schlägt er einen tot,
Will er ein Weib, so holt er eine sich,
Was auch darüber bricht, was kümmert's ihn?
Er thut nur recht, doch recht ist, was er will."

So hat sie in Jason längst den vollendeten Egoisten erkannt. Kreusa aber ist entsetzt, die Gattin so über den Gatten sprechen zu hören, und wirft Medea Unversöhnlichkeit vor. Als Kreusa sich von ihr wenden will, bittet Medea flehentlich, sie möge sie nicht auch noch aufgeben. Mit einem Gemisch von Bewunderung und Neid betrachtet Medea die schöne, sanfte Kreusa, aber sie will zahm zu werden suchen, wie sie. Den Wechsel zwischen Sanftmut und Wildheit im Wesen Medeas hat schon Soden, aber was dort unnatürlich scheint, ist hier unvergleichlich motiviert.

Nun kommt Jason und zeigt von neuem Scheu und Abneigung gegenüber Medea. Er schickt sie fort, nach den Kindern zu sehen. Dann erst ist ihm wohl, als er allein ist mit Kreusa, die sich wieder wundert, dass Gatten sich so wenig lieben. Jason sucht es ihr zu erklären. Seine Ehe ist nicht wie eine andere: ihm ward der Fluch des Vaters, nicht der Segen zu teil. Kreusa wundert sich, das Jason selbst sich so verändert hat. Jason ist sich der Wandlung wohl bewusst, die mit ihm vorgegangen ist:

„Es ist des Unglücks eigentlichstes Unglück,
Dass selten drin der Mensch sich rein bewahrt."

Aus dem lebensfrohen Jüngling ist ein sorgenvoller Mann geworden, aus dessen Worten bittere Resignation spricht. Kreons Güte ist ihm lästig, und dass das Volk ihn verachtet, das ihn einst erhoben hat, ist ihm unerträglich. So kommt er dazu, Medea zu verwünschen. Wäre er sie los, dann könnte er wieder Mensch sein. Kreusa weiss ein anderes Mittel: ein einfach Herz und einen stillen Sinn. Scheinbar unvermerkt, aber wohl von Jason beabsichtigt, ob er sich nun durch die Erinnerung erheitern oder Kreusa gewinnen will, kommen sie auf ihre gemeinsam verlebte Jugend zu sprechen (eine Erfindung Grillparzers).

Indessen ist Medea zurückgekehrt, aber Jason hat nur Blicke und Worte für Kreusa und fährt fort, in Jugenderinnerungen zu schwelgen. In Medeas Brust erwacht die Eifersucht, sie ergreift die Leier und sucht die Aufmerksamkeit des Gatten auf sich zu lenken mit den Worten: „Jason, ich weiss ein Lied.“ Er aber hört sie nicht und spricht weiter mit Kreusa. Immer wieder kommt Medea mit ihrer Bitte, so dass Kreusa schliesslich Jason darauf aufmerksam machen muss. Aber er will kein Lied von Medea hören, und als Kreusa für sie bittet, da fordert er Medea ungeduldig auf, zu singen. Aber nun geht es nicht, sie wirft die Leier weg und weint. Nun verlangt Jason, Kreusa solle das Lied singen. Das ist zuviel für die schwergekränkte Medea: sie hält Kreusa zurück, will ihr die Leier nicht geben, und als Jason ihr das Instrument zu entreissen sucht, da zerbricht sie es und wirft es hin. Kreusa ist bestürzt, Jason zornig. Eine herzempörendere Scene hat keiner der früheren Bearbeiter geschrieben, keine, die mehr dazu angethan wäre, uns Medeas Schmerz und Zorn mitfühlen zu lassen.

Da naht der König. Ein Herold der Amphiktyonen kommt mit ihm, den Bann verkündend. Er spricht den fürchterlichen Fluch aus über die Urheber am Tode des Pelias, Medea und Jason. Da tritt der König dazwischen und erklärt Jason für seinen Eidam, um ihn so zu retten. Medea aber soll ausgestossen sein; bei Todesstrafe soll sie am nächsten Morgen Korinth verlassen haben. — Nötigung von aussen ist es also, wie bei Seneca und Corneille, was Kreon veranlasst, Jason als Tochtermann aufzunehmen zu seiner Rettung. Grillparzers eigene Erfindung ist es, dass die Amphiktyonen den Fluch aussprechen, der seiner Form nach an mittelalterliche Acht- und Bannsprüche erinnert. Ich zweifle, dass sich eine derartige Thätigkeit der Amphiktyonen aus dem griechischen Altertum nachweisen lässt. — Bei Seneca ist es die Forderung des Acastus, welche Kreon zur Aufnahme Jasons veranlasst. Euripides hat nichts davon. Bei Klinger und Soden ist es das murrende Volk.

Nun wendet sich Medea an Jason und erinnert ihn an seine Eide. Jetzt soll er sein Versprechen halten und ihr folgen. Aber er stösst sie mit Hass zurück, so ganz vergisst er alles andere im Gedanken an seine Rettung. Sie erinnert ihn daran, wie er sie aus der Heimat gelockt, ihr Liebe aufgedrungen, sie zum Verbrechen verleitet hat.

> Du nennst mich Frevlerin? Weh mir, ich bin's!
> Doch wie hab' ich gefrevelt und für wen?
> Lass diese mich mit gift'gem Hass verfolgen,
> Vertreiben, töten, diese thun's mit Recht,
> Denn ich bin ein entsetzlich, greulich Wesen,
> Mir selbst ein Abgrund und ein Schreckenbild;
> Die ganze Welt verwünsche mich, nur du nicht!

Diese Rechtfertigung Medeas lehnt sich, zum Teil wörtlich, an Seneca (Vers 503 ff. tua illa tua sunt illa; cui prodest scelus, is fecit. omnes conjugem infamem arguant; solus tuere, solus insontem voca). Aber wieder hat der Dichter die Vorlage zu ver-

tiefen und zu erweitern, ihr eine mächtige dramatische Wirkung zu geben gewusst. Immer heftiger werden Medeas Klagen, sie erinnert ihn daran, wie er ihr den Mord des Pelias aufgelegt habe. Immer wieder verlangt sie, dass er mit ihr komme. Hass und Liebe wechseln aufs schnellste in ihren Reden. Jason droht in seiner Wut sogar, sie zu töten — er ist bei Grillparzer brutaler als bei allen früheren Bearbeitern — und sie wünscht den Todesstreich, aber Kreusa hält den Rasenden zurück. Da wendet sich Medeas Hass gegen Kreusa. Muss sie doch in ihr die Hauptursache ihres Unglücks sehen; denn ohne die Liebe zu der Königstochter würde ihr Jason sein oft gegebenes Wort nicht brechen. Dann zerreisst sie ihren Mantel und sagt sich los von Jason. Er soll tragen, was daraus entsteht, nur die Kinder verlangt sie noch. Aber Kreon und Jason schlagen ihr fast gleichzeitig die Bitte ab und beleidigen auch noch die Mutter in dem unglücklichen Weibe. — Wie bei Corneille und Klinger werden ihr also die Kinder geraubt. — In allen Gefühlen verletzt, stösst nun Medea Drohungen gegen Kreusa aus. Mit einem einzigen Worte scheucht sie die Trabanten zurück. Kreusa hegt Zweifel (wie bei Soden):

> Ich sinne nur, ob recht ist, was wir thun:
> Denn thun wir recht, wer könnte uns denn schaden?

Der dritte Akt zeigt uns Medea mit ihrer Dienerin Gora, welche in ihrer barbarischen Wildheit das Unrecht, das man ihrer Herrin gethan, noch härter fast empfindet, als diese selbst, und sie darum zur Rache reizt. „Sie sollen nicht lachen der Kolcherin, nicht spotten des Bluts meiner Könige!“ (vgl. Euripides, Vers 797: *οὐ γὰρ γελᾶσθαι τλητὸν ἐξ ἐχθρῶν*). Aber lachen werden sie nicht, dessen ist Medea sicher. Ihr Hass sucht ein Ziel. Auf Goras Frage antwortet sie: „Ich geb' mir Mühe, nichts zu wollen, zu denken: ob dem schweigenden Abgrund brüte die Nacht.“ (Vgl. Klinger: Nichts denk' ich — ein starres leeres Nichts, durch das ein ungeheures Etwas zittert.) Rächen will sie sich an Jason, nur ist ihr die Art noch unklar. Gora reizt immer mehr, erinnert sie an den Tod des Absyrtus, des Aietes; denn auch er ist indirekt durch Medeas Schuld umgekommen. So stachelt Gora Medeas Hass zur höchsten Wut gegen den glattzüngigen Heuchler, den sie einst geliebt hat, aber jetzt hasst, wie das Entsetzlichste, wie sich! Soll sie sich vom Giebel des Hauses stürzen, zerschmettert zu seinen Füssen zu liegen? Gora verlacht diese Rache. Soll sie sich selbst und die Kinder töten an der Schwelle seines Brautgemaches? „Dich selber trifft die Rache, nicht ihn!“ hält ihr Gora vor. Oder soll sie Kreusa töten? Das trifft schon näher. Aber Medea will nicht tiefer sinnen über ihre Rache. Gora erzählt ihr, wie übel es den Teilnehmern am Argonautenzug ergangen. Nur Jason lebt noch, der die schlimmste That vollbracht hat. Herakles ist gefallen durch ein vergiftetes Gewand, das ihm seine Gattin geschickt hat: Althäa hat ihren Sohn Meleager ums Leben gebracht; jenen hat die Gattin, diesen die Mutter getötet. Das Schicksal der Argonauten enthält schon ein Chorlied des Seneca, aber hier ist die Erzählung Gora in den Mund gelegt, und die bezeichnendsten Beispiele, diejenigen vom Verwandtenmord, sind ausgewählt. Medea überdenkt diese Thaten und überlegt die Rache, aber noch ist sie unschlüssig.

Da kommt Jason mit dem König, aber Medea geht ins Haus, weil sie Kreon, den Verführer ihres Gatten, nicht sehen will. Wenn Jason sie zu sprechen wünscht, dann mag er zu ihr ins Haus kommen. Gora weist die Männer trotzig ab. Nun will der König die gefährliche Feindin nicht länger im Lande dulden. Die Frist soll verkürzt, Medea sofort vertrieben werden. Jason ist einverstanden, denkt er doch auch jetzt nur an sich. Leichter wird Medea die Verbannung ertragen als er das Bleiben in Hohn und Verachtung. Der König sucht den Gebeugten zu trösten. Das Vliess soll er von Medea verlangen, das Unterpfand für künftige Grösse.

Medea erscheint endlich, und der König verkündet ihr, dass sie noch heute gehen soll, da sie Drohungen ausgestossen hat gegen seine Tochter. Medea verlangt zum zweitenmal ihre Kinder, aber Kreon, der hier der eigentliche Urheber der Entziehung ist, verweigert es wieder. Da will sie mit Jason allein sprechen. Als der König sich entfernt hat, spricht sie herzlich mit Jason, aber er hat nur kalte Worte für sie und geberdet sich, als ob er schuldlos sei. Da hält sie ihm vor mit blutigem Hohne, was er ist, der Milde. Sie sagt ihm, dass sie den Pelias nicht getötet habe, sondern dass Raserei beim Anblick des Vliesses ihn befallen; sie mahnt Jason daran, was sie ihm einst gewesen, und fordert ihn nochmals auf, mit ihr zu fliehen. Entsetzliches ist seither geschehen, doch

„Du sollst mich nicht strafen, Jason, du nicht!
Denn was ich that, zu Liebe that ich's dir."

Vgl. Seneca: tua sunt illa etc.). Aber er nennt sie eine Rasende. Ihr Ehebund sei nun einmal verwünscht, so müssten sie sich drein finden, sie zu gehen und er zu bleiben. Da wirft sie ihm die neue Ehe vor, von der Kreon gesprochen hat, und beschwört ihn noch einmal, sie nicht zu verlassen, aber er schützt Notwendigkeit vor. Dem eigenen Willen sei sie gefolgt, nicht ihm (vgl. Euripides, V. 530: ***Ἔρως σ᾽ ἠνάγκασε***). Sie fällt vor ihm auf die Kniee nieder (wie bei Klinger), aber als er hart bleibt, regt sich ihr Stolz, und sie schämt sich der Demütigung. Da verlangt sie heftig die Kinder, und endlich willigt Jason ein, dass einer von den Knaben sie begleite, aber die Kinder selbst sollen wählen. — Schon Klinger und nach ihm Soden verwerten die Wahl der Kinder zwischen den Eltern. Grillparzer verschärft den Konflikt dadurch, dass nur eines die Mutter begleiten soll auf ihre inständige Bitte hin.

Der König kommt wieder, und die Kinder werden von Kreusa herbeigebracht. Medea ruft sie, ihre Kinder, das Einzige, das Letzte, was ihr noch geblieben ist. Aber keines kommt, beide schmiegen sich an Kreusa. Das ist der Unglücklichen unfassbar; ihre liebkosenden Rufe gehen über in Drohungen, die tiefgekränkte Mutterliebe schlägt um in wilden Hass. „Wer giebt mir einen Dolch? Einen Dolch für mich und sie?" Alles ist nun vernichtet in Medea, sie ist aufgelöst in Schmerz.

Diese Scene bildet die eigentliche Katastrophe, denn sie entscheidet den Kindermord. Auch die Ähnlichkeit der Kinder hat Grillparzer nach Gotters und Klingers Vorgang benutzt. Hier gleicht der Ältere dem Vater, während der Jüngere Absyrtus ähnlich ist. Die Scheu der Kinder vor der Mutter und die Neigung zu Kreusa findet sich auch schon bei Klinger. Aber Grillparzer hat dieses Motiv erst tragisch verwertet.

Gora sucht die verzweifelnde Medea zur Flucht zu bewegen (wie die nutrix des Seneca), aber Medea jammert um ihre Kinder, und glühender Hass mischt sich in ihre Klagen. Keines der Kinder ist gekommen, „er aber lachte drob und sie!“ (wieder das Lachen der Feinde, wie bei Euripides). Gora selbst rät nun von der Rache ab. Sie hat die Hand der Götter erkannt in der Weigerung der Kinder. Medea soll die Kinder nicht schelten, sie seien gut. Aber Medea zürnt:

> Gut? und fliehen die Mutter?
> Gut? Sie sind Jasons Kinder!
> Ihm gleich an Gestalt, an Sinn,
> Ihm gleich in meinem Hass.
> Hätt' ich sie hier, ihr Dasein in meiner Hand,
> In dieser meiner ausgestreckten Hand,
> Und ein Druck vermöchte zu vernichten
> All was sie sind und waren, was sie werden sein, —
> Sieh her! — Jetzt wären sie nicht mehr!

(Vgl. Seneca 940 ff.: quod scelus miseri luent? Scelus est Jason genitor etc.) Nun ist der Entschluss zum Kindermorde da. Wenn die Kinder dablieben, redet sie sich ein (wie bei Euripides), so würden sie misshandelt oder selbst Verbrecher. Besser, sie sterben, und die Rache wird geübt an Jason.

> Die Kinder liebt er, sieht er doch sein Ich,
> Seinen Abgott, sein eignes Selbst
> Zurückgespiegelt in ihren Zügen!
> Er soll sie nicht haben, soll nicht!
> Ich aber will sie nicht, die Verhassten!

(Vgl. Seneca V. 550 f.: haec causa vitae est hoc perusti pectoris curis levamen. spiritu citius queam carere membris luce.) Nun denkt sie wieder an Althäa, die den Sohn getötet, weil er ihr den Bruder erschlagen. Ist Jason doch auch schuld an ihres Bruders, an ihres Vaters Tod. Rache habe sie schon damals geschworen, als Jason das Vliess hoch schwang in grässlichem Triumph. Immer mehr gestaltet es sich in ihr. Sie sieht im Geiste die Kinder und die Braut tot und ihn daneben sein Haar zerraufend, und sie wünscht sehnlich, sie hätte ihr Zaubergerät noch, aber ihr schaudert davor, es zu holen.

Kreon kommt und mahnt Medea daran, dass es Zeit sei. Er redet mit Mässigung, verspricht, die Kinder sollten es gut haben, und begehrt endlich das Vliess.

Sie weicht schaudernd aus und sagt, die Erde habe es. Da lässt er das Kistchen herbeibringen, das man bei Errichtung eines Altars am Meeresstrande gefunden hat. Medea ist wie umgewandelt, als sie den Kasten erblickt und sich so wieder im Besitz ihrer Zaubermittel sieht, vor deren Ausgrabung es ihr gegraut. Der König verlangt selbst, dass sie das Vliess an Kreusa sende, und giebt zu, dass Medea ein Geschenk für Kreusa mitschicke. Ja, er erlaubt nun, dass die Kinder von der Mutter Abschied nehmen, wie Kreusa es erbeten. Da er Medea ruhig sieht, will er es thun. So fügt sich alles von selbst, und der König hegt in der Verblendung seiner Habsucht keinen Argwohn. Medea öffnet die Kiste, ergreift die Zaubermittel und übergiebt Gora das Geschenk für Kreusa. Gora wird es jetzt bange, ihr, die Medea so sehr zur Rache gereizt hat. Nun bringt eine Sklavin die Kinder herbei, Gora geht in den Palast mit den Gaben, und Medea bleibt mit den Kindern allein. Die Knaben fürchten sich vor ihr. Die Reden der Kinder und die Ähnlichkeit des Älteren mit Jason reizen von neuem Medeas Rachedurst. Die Knaben wünschen zu schlafen (das Motiv ist von Klinger entlehnt) und legen sich ermüdet auf den Stufen vor dem Hause nieder, während Medea allein, in Gedanken versunken, wach bleibt. Der Unterschied zwischen ihrem einstigen Leben als Fürstentochter in Kolchis und ihrem jetzigen Zustande, da sie Mordgedanken hegt, erschüttert ihre Seele. Die schreckliche Gegenwart tritt ihr nach den Jugendträumen um so greller wieder ins Bewusstsein, und bang gedenkt sie des väterlichen Fluches. Ihr graut vor der That, die sie im Busen hegt; darum weckt sie die schlafenden Knaben und weist sie ins Haus. Morgen wird sie allein in die wüste Welt hinauswandern, und die Feinde werden ihrer lachen (Euripides). Aber ist es nicht schon zu spät zum Verzeihen? Hat nicht Kreusa schon das Kleid, den flammenden Becher? Da klingt ein Schrei aus dem Palast, Flammen zucken empor. „Es ist geschehen! Kein Rücktritt mehr! Ganz sei es vollbracht!“ Die Feinde werden kommen, auch der Kinder nicht schonen. Gora meldet, dass das Grässliche im Palaste geschehen ist, und Medea eilt zu den Kindern in den Säulengang. Gora selbst ist entsetzt, man hört Jasons und Kreons Weherufe. Da eilt Gora in die Säulenhalle und stürzt wieder heraus mit dem Schrei: „Was hab' ich gesehen? Entsetzen!“ Medea tritt heraus, in der Linken den Dolch, mit der hocherhobenen Rechten Stillschweigen gebietend. Die That ist geschehen. Auch hier, wie bei Euripides, ist die Rache an Kreusa zugleich die Nötigung für Medea zum Morde an den Kindern, der, wie dort, hinter der Scene vollzogen wird.

Für den letzten Akt bleibt wenig übrig. Der König schleppt, jammernd um seine Tochter, Gora, die Überbringerin des schrecklichen Geschenkes, aus dem Palaste. Aber Gora fürchtet seine Rache nicht; denn Schrecklicheres hat sie gesehen: die Kinder erwürgt von der eigenen Mutter. Sie klagt nicht um Kreusa, der nach ihrer Meinung recht geschehen ist, nur um die Kinder jammert sie. Der König will es nicht glauben, dass Kreusa tot ist, bis er es glauben muss. Da jammert er und verlangt nach Medea, dass er sich an ihr räche. Jason stürmt herbei, das blanke

Schwert in der Faust. Er forscht nach den Kindern und sucht Medea, um sie zu töten. Da erfährt er durch Gora, dass die Knaben tot sind. Gora nicht Medea wie bei den Früheren; hält Jason und dem König ihr Unrecht vor. Dann geht sie. Kreon scheint sein Unrecht einzusehen; er will die Leiche seines Kindes suchen, sie zu bestatten, Jason aber stösst er von sich, so dass dieser verlassen und verzweifelt bleibt. In einer wilden Gegend pocht der Unglückliche an eines Landmanns Thüre, einen Trunk Wasser heischend. Aber sobald der Bauer weiss, wen er vor sich hat, jagt er den Verfluchten von seiner Schwelle. Jason fühlt, dass er nun ganz ausgestossen ist. Da tritt Medea plötzlich aus dem Dickicht hervor, das Vliess wie einen Mantel um die Schultern geschlagen. Sie ruft Jason an, und als er sie erblickt, da fährt er nach dem Schwert, aber die Glieder versagen ihm den Dienst. Er fragt nach den Kindern und ist entsetzt über Medeas scheinbare Ruhe, während der Schmerz in ihr wühlt. In leidenschaftslosen Worten, voll der dumpfen Qual einer gebrochenen Seele, nimmt sie von ihm Abschied. Sie will das Vliess, das Sinnbild des traumhaften Ruhmes, nach Delphi zurückbringen, dort Sühne oder Tod erwarten. Jason wünscht sich den Tod. Sie aber geht:

Ich geh', und niemals sieht dein Aug' mich wieder! — — — —

Die ausführliche Analyse hat gezeigt, wie viel Grillparzer aus seinen Vorgängern geschöpft hat für einzelne Züge seines Stückes, wie er aber auch meistens den gegebenen Gedanken zu vertiefen oder zu erweitern gewusst. Natürlich mögen einige dieser Ähnlichkeiten bloss zufälliger Art sein, bei den meisten aber ist bewusste oder wenigstens unbewusste Anlehnung anzunehmen. Die Charaktere haben bei Grillparzer eine feine Durchbildung nach Art des modernen Charakterdramas erfahren. Kreusa ist bei ihm ein ganz naives Kind, voll jugendlichen Frohsinns, voll Unbefangenheit, aber endlich doch nicht ohne Zweifel, ob es recht sei, was ihr Vater und Jason beschliessen. Ihr Los trifft sie ohne ihr Verschulden, und so erregt sie Mitleid, ohne dass dadurch das Mitleid für Medea vermindert oder die Hauptaufmerksamkeit auf sie gezogen würde. Sie bleibt Nebenperson. Jasons Charakter ist vollkommen einheitlich durchgeführt. Seine Haupteigenschaft bei mannhaftem Mut und rastlosem Ehrgeiz ist ein konsequenter Egoismus. Treubrüchig wird er erst in der höchsten Not und als er glaubt, Medea als Scheusal betrachten zu dürfen, weil Kreon sie dafür ansieht. Sein beleidigter Stolz, seine heimlich wachsende Abneigung gegen die Barbarin und endlich die Gefahr des Bannes und zugleich die Möglichkeit der Rettung motivieren den Abfall des selbstischen Mannes völlig. Sein Schicksal ist verdient. Bei Medea hat Grillparzer selbst einen Mangel an Einheit des Charakters eingesehen. Aber bei dem grossen Zeitraum, den das „Goldene Vliess“ umspannt, ist der Vorwurf vielleicht nicht einmal begründet. Im dritten Stücke erscheint Medea gebrochen, sanft, nachgiebig. Die Härte des Schicksals, das sie erfahren muss, hat sie gebeugt. Aber als alles zusammenbricht, da flammt die angeborne Glut mächtig auf, und sie vernichtet ihre Feinde, als die sie nicht nur den treulosen Gatten und Kreusa, sondern auch die Kinder betrachten muss. Den Kampf zwischen Liebe und Hass in einem verratenen starken Frauenherzen hat kaum ein anderer unserer grössten Dichter so ergreifend zu schildern gewusst.

Wenn die Hauptaufgabe bei Behandlung der Geschichte Medeas ist, Mitleid für die unglückliche Heldin zu erwecken trotz ihrer entsetzlichen That, so hat Grillparzer diese Aufgabe unstreitig seit Euripides am besten gelöst, und seine Ausführung steht uns sogar durch ihr modernes Empfinden näher als die des Griechen.

Einige Besonderheiten des Grillparzerschen Stückes verdienen zum Schluss noch Hervorhebung. Künstlerisches Empfinden und Kenntnis antiker bildlicher Darstellungen zeigt sich in der scenischen Bemerkung am Ende des vierten Aktes, da Medea heraustritt, in der Linken den Dolch, mit der hocherhobenen Rechten Stillschweigen gebietend. Charakteristisch ist die Bevorzugung der Dreizahl. Dreifach ist Medeas Schuld: sie ist schuld am Tode des Bruders, des Vaters und der Kinder (vgl. Gretchen: Mutter, Bruder und Kind). Dreimal bittet sie um die Kinder. Dazu kommt endlich noch die Dreiteilung des ganzen Stoffes. Die Form der Trilogie giebt Grillparzer einen grossen Vorteil. So führt er uns die ganze Geschichte vor Augen und kann den Charakter Medeas völlig entwickeln. Was sie für Jason gethan hat, was sie ihm gewesen ist, haben wir selbst gesehen und so miterlebt. Darum wird ihr Schmerz und ihre Rache um so begreiflicher, und keine Lücke ist mehr in dem festen Gefüge, eins greift ins andere, so dass ein harmonisches Kunstwerk entsteht. Wir sehen Medea als Jungfrau, als Gattin und endlich als rachedürstendes, verratenes Weib. Alles erleben wir mit, nicht nur die letzte Katastrophe.

Die drei Stücke sind ausserdem noch durch eine Idee verbunden, welche das ganze Werk durchzieht, bei früheren Bearbeitern schon angedeutet, aber hier erst eigentlich verwertet worden ist. Das goldene Vliess ist bei ihm der Hort des Ruhmes und Glückes, aber zugleich der goldene Schatz, an den der Fluch gebunden ist. Durch die Blutthat des Aietes ist das Vliess verflucht worden, und von nun an bringt es allen seinen Besitzern Unheil und Verderben, erst dem Geschlecht des Aietes, dann Jason, endlich Kreon und Kreusa. Dass Aietes seine Tochter verflucht, ist nur eine Folge der Erwerbung des Vliesses, und alles, was ferner geschieht, ist Erfüllung des Fluches. Aber am Schlusse des Stückes wird uns eine Sühne des Fluches in Aussicht gestellt. Medea will das Vliess dahin zurückbringen, woher es Phrixus einst genommen hat. Wenn der unheilvolle Schatz wieder an seinem rechten Orte ist, dann hat der Fluch aufgehört. Diese Verwertung der Idee vom goldenen Vliesse ist bei einem klassisch-antiken Stoffe nicht ganz passend. So antik die Vorstellung eines auf Generationen fortwirkenden Fluches ist, so wenig antik ist es, dass der Fluch an einen bestimmten Gegenstand geknüpft erscheint. Das ist ein Schicksal im Sinne der modernen Schicksalstragödie.

Eine andere Beziehung ist auffallend, die (bei Grillparzer vielleicht unbewusste) Ähnlichkeit mit dem Horte der Nibelungen. Auch Medeas Charakter zeigt Verwandtschaft mit demjenigen Kriemhildens, abgesehen vom Beweggrund, und in Einzelheiten liessen sich noch zahlreiche Ähnlichkeiten nachweisen.

So haben wir nun den weiten Weg durchwandert. Von der Höhe des Euripides stiegen wir in die Niederung hinab, und nach der Erhebung, welche Klingers Stück bedeutet, ging es wieder in die Tiefe, so dass erst mit Grillparzer die jenseitige Höhe erreicht wurde. Aber wenn auch Grillparzers Trilogie die beste moderne Bearbeitung des Stoffes und darum gewissermassen abschliessend ist, so hat er die Vollendung des griechischen Werkes doch nicht erreicht. So wird Euripides den Kranz behalten, den ihm schon Archimelos in einem Epigramm zugesprochen hat.

DUE JUN 12 1930
DUE MAR 27 33
CANCELLED
MAR